KB213347

지금이라, 할 수 있는 이야기

지금이라, 할 수 있는 이야기

앤솔로지 작품집

글로서기

일요일은 맑았다.

휴일 오전의 행촌동 골목에는 얇은 햇살이 부서져 내렸다. 점심 장사를 시작하는 가게들은 게으르게 문을 열었고, 사람들의 걸음에도 한 박자씩 여유가 붙었다. 낮은 빌라들은 더러 창문을 열어놓고 있었는데 익어가는 가을바람을 맞을 요량이었을 것이다. 좁다란 길 사이에 TV 소리나 청소기 돌아가는 소리, 식기 부딪치는 소리가 간간이 섞였다.

예년보다 더운 가을이었다.

9월 초, 우리는 대부분 반팔 차림이었다. 강의실에도 에어컨이 켜져 있었다. 채 가시지 않은 여름의 열기를 볼에 담고 있던 사람들은 그 달뜬 마음으로 글을 써보고자 했다. 나이도, 직업도, 이유도 달랐지만 무언가를 표현해 보고 싶다는 열망만큼은 비슷했다.

한 시간 반으로 예정되어 있던 수업은 아무렇지도 않게 두세 시간을 훌쩍 넘겼다.

단풍이 노랗게 물들었다.

반팔이 긴팔로 변하고, 긴팔 위에 재킷이 얹어지는 동안 페이지는 점점 빽빽하게 채워졌다. 활자가 만들어낸 길을 따라 우리는 각자의 가을을 걸었다. 누군가는 글쓰기를 통해 자신을 돌아봤고, 누군가는 진정 하고 싶은 말을 찾았다. 내가 만들어 낸 캐릭터로 다른 사람을 이해하기도 했다. 그 과정을 함께 거치며 우리는 내심, 서로를 응원했다.

2024년의 가을이어서, 맑은 일요일이어서, 그리고 지금이어서. 그래서 할 수 있었던 이야기가 여기 모여 있다. 서로 다른 공간에서 다른 인생을 살고 있지만, 마침 같은 시대에 같은 관심사가 있었기에 가능했던 일이다. 혹 지금이 아닌 언젠가 이 글을 다시 본다면, 사춘기 시절 일기처럼 낯부끄러워질지도. 하지만 우리의 한때에 치열했던 지금이 있었음을 기억해 두려 한다. 8주 책쓰기 프로젝트의 모토가 '모두의 삶은 문학'이었던가. 그 덕에 우리는 두 달의 여정 동안 문학을 살았다. 그러므로 이 책을 펼쳐보는 지금의 누군가도, 어디에선가는 문학을 살고 있는 사람들이 있다는 것을 알아주길. 더불어 일곱 편의 단편을 통해 모두의 삶이 문학이 될 수 있다는 사실을 경험할 수 있었으면 좋겠다.

여덟 번의 일요일을 함께한 일곱 명의 작가들,
그리고 방현희 선생님께 감사의 마음을 전하며.

- 공동저자 中 신시언

일러두기

소설에 언급되는 인명, 지명, 관서명, 상표명, 사건 내용 및 설정 등은 작가가 만들어낸 허구로 실제와 무관합니다.

차례

01

굴러가기

김재희

소설

김재희

미술대학교를 입학한 후로부터 박사과정까지 아직 단 한 번도 학교에서 벗어나
지 못한 어느 대학원생이다. 임금님 귀는 당나귀 귀처럼 사회에 뛰어들기 전 글
로 자신의 내면을 표출해 보아 마음속 불안함과 답답함을 조금이나마 해소해 보
고자 글을 써보았다.

굴러가기

재희는 회색의 어둡고 낡은 문을 박차고 들어간다. 그리고 확성기라도 댄 듯 아주 큰 소리로 그녀의 친구를 부른다.

"주아야!"

그러면 안에서도 그에 대응하는 하이톤의 아주 큰 소리가 난다.

"재희~! 뭐야 늦게 온다더니 오늘 일찍 왔네?"

지금은 저녁 7시, 사실상 다른 학생들은 집에 가는 시간대이다. 과실에 들어오자마자 느껴지는 짙은 먼지 냄새와 각종 잉크 냄새, 석유 냄새 등 보통의 사람들에게는 머리가 아파질 테지만 재희에게는 익숙하기만 하다. 재희는 과실에 들어오자마자 입고 온 깔끔한 옷을 벗어 던지고 물감이 잔뜩 묻은 검은색 바지와 외투를 입는다. 이곳저곳 각종 물감과 붓, 먼지, 약품 등이 난무하는 과실에서 깨끗한 옷이란 앞서 말한 예시 중 단 하나라도 묻을 걱정에 불편하기만 한 옷이다. 재희를 보자 어슬렁어슬렁 슬리퍼를 끌며 오는 주아의 모습도 재희와 다를 바가 없다. 아니다 이미 라꾸라꾸에서 한숨 잤는지 머리까지 뻗쳐있는 주아의 모습은 더욱 대단하다.

비슷한 모습의 두 들짐승 아니 두 여성은 나란히 자리에 앉아 노트북을 펼친다.

"오늘은 뭐 보지?"

재희와 주아는 만나면 언제나 영화를 본다. 그녀들은 열심히 작업한다는 명목으로 수업 전날 혹은 그전 전날에, 학교에 오지만 그 시간 중 반은 누워있거나 영화를 보는 것이 대부분이다. 부모님께는 맨날 학교에 가서 고생스럽게 열심히 공부하고 작업하러 간다고 말하지만, 실상은 그렇지 않은 것이다.

그녀들의 영화 취향은 꽤 확고했다. 따분하다는 듯 앉아 넷플릭스를 뒤적거리는 재희는 오늘 볼 영화를 열심히 고른다.

"아 뭐 보지."

"맨날 공포영화만 보니까 이제 새롭게 더 볼 공포영화도 없다."

재희는 대학생 때부터 무슨 이유에서인지 괴수영화를 좋아했는데, 우주, 해저, 동굴, 사막, 숲, 도시, 집 안 등 여러 배경에서 나타나는 괴수를 아주 골고루 모두 보았다. 재희에게는 희한하게도 가슴 따뜻한 이야기 혹은 톡톡 튀게 사랑스러운 멜로영화 같은 건 30분 이상 못 보는 병이 있었다. 특히 멜로영화 속 아름다운 여자주인공과 멋있는 남자주인공이 서로 아닌척하면서도 서로에게 이

끌려 꽁냥거리고 있는 장면을 보자면 정말이지 아침 9시부터 시작하는 교양수업보다 지루해 죽을 지경이었다. 대학교 때, 재희의 친구들은 처음에는 그녀와 같이 즐겁게 영화를 봤다. 점차 시간이 지나고 10번이면 10번 다 무섭고 징그러운 영화만 보는 재희를 견디지 못해 떠나갔다. 그러나 대학원에서 만난 주아는 달랐다. 주아는 겉모습만 다른 재희였다. 주아는 이 세상에는 로맨스에 로자도 없는 사람이다. 그것이 재희는 아주 마음에 들었다. 그렇게 영화궁합이 딱 맞게된 재희와 주아는 이제는 둘 다 더 이상 볼 영화가 없을 정도로 모든 괴수영화를 섭렵하였다. 그녀들은 영화를 즐겁게 감상하기도 하며 영화나 공포 이야기를 들려주는 유투브를 크게 틀어놓고 각자의 작품 창작에 집중하기도 하였다. 그래서 그 둘이 학교에서 같이 작업을 한다 하면 그날은 어떤 것을 틀어놓아야 할지 매우 고민이었다.

"아 볼 게 진짜 없다."
영화 보는 것이 중요한 게 아닐 텐데, 학교에 오면 영화를 고르는 것에만 1시간이 넘게 소요된다.

"아 넷플릭스에 '그것' 있다. 볼래?"
영화 그것은 어떤 마을에 27년마다 나타나는 괴물 광대가 아이들을 잡아먹고 죽이는 이야기이다. 그것은 아이들한테만 나타는 괴물로 어른들한테는 보이지 않아 어른의 도움없이 아이들 스스로 두려움을 이겨내며 괴물과 맞서 물리쳐야 한다. 물론 괴물이 나오는 영화를 좋아하는 재희는 이미 오래전에 본 영화이다.

"네가 괜찮다면, 난 좋지. 그거 이번에 후속작도 들어왔더라."
더 이상 새롭게 볼 영화를 찾는 게 힘들었던 재희는 차라리 봤던 것이 낫겠다는 생각이 들었다. 재희와 주아는 약속이라도 한 듯 척척 손발을 맞추며 영화 볼 준비를 한다. 작업물이 잔뜩 쌓여 산을 이루는 더러운 책상 위를 팔로 쭉쭉 밀어내며 공간을 만들었다. 자리 가운데 앞에 영화를 보기 위한 노트북 하나, 그 양옆으로 각자의 앞에 자신이 드로잉할 것을 놓았다. 영화가 틀어지고 미국 틴에이저 영화스럽게 학교에서 소위 너드라고 불리우는 주인공 집단이 괴물 광대를 맞닥뜨리면서 두려운 분위기가 형성되었다.

과실에는 영화 속 아이들의 비명과 사부작사부작하는 연필 소리만 들렸다.
그러다 "나 화장실." 영화를 보는 중 벌떡 일어나 과실 바깥 문까지 갔다가 다시 돌아온 재희는 주아를 물끄러미 쳐다보며 화장실을 같이 갈 것을 요구했다. 화장실도 혼자 못가냐는 듯 어이없는 표정으로 재희를 바라보던 주아는 한숨을 쉬며 마지못해 자리에서 일어나 같이 화장실을 갔다. 졸업 전시 준비 기간도 아니고 시험 기간도 아닌 이 시간 미대 건물에 남아있을 학생이 재희와 주아를 제외하고 또 어디 있을까. 3층 과실을 제외한 미대 건물이 새

까만 어둠에 잠겨있다. 휴대전화 불을 켜고 복도를 지나 화장실에 들어간 재희는 변명하듯 구시렁댄다.

"아니, 이놈의 핸드 드라이기는 꼭 혼자 있을 때만 울리더라고"
"넌 그것이 핸드 드라이기로 나타나는 거 아니냐?"

영화 속 괴물 광대를 지칭하는 그것은 아이가 가장 무서워하는 형태로 찾아오는데, 화창한 날씨의 공원에서든 어두운 집 지하 창고에서든 어디에서든지 갑자기 찾아와 벗어날 길을 알 수 없다. 재희는 혼자 화장실에 있을 때마다 갑자기 큰소리로 울려대는 핸드 드라이기 소리에 깜짝 놀라 소리 지르며 뛰쳐나갈 때가 많았다. 그럴 때마다 주아는 항상 영화는 공포영화만 봐대면서 겁이 엄청 많다며 재희를 비웃으며 놀리곤 했다. 하지만 한 살이라도 더 먹은 언니라서일까? 주아는 이따금 사소한 것에 겁먹는 재희를 잘 챙겨주었다. 유치원 어린이도 아닌 재희를 위해 화장실을 같이 와주는 지금처럼 말이다.

"너도 참 나 없으면 어떻게 화장실 올 거야? 귀신 같은 건 이 세상에 없어. 정말로 무서운 건 우리가 사는 현실 세상 속에 일어나는 일이야."

"나도 알거든, 그래도 놀라는 걸 어떡해!" 주아가 자신을 놓고 먼저 들어가면 무서울 것 같아 재희는 새침하게 대답하며 후다닥 과실로 들어갔다.

영화를 다시 보기 시작한 재희는 이미 봤던 영화라서인지 조금 따분하다는 듯 말했다.

"아니 이거 결말이 뭐였지? 언제 끝나?"

영화의 결말을 재희는 잊은 지 오래다. 그것은 아이들이 조금씩 해결책을 찾았다 싶으면 찾아와서 괴롭히고 조금 즐겁다 싶으면 다시 찾아와 극심한 공포를 주었다. 아이들은 열심히 도망 다니지만 아무리 봐도 해결책은 용기 있게 맞서는 수밖에 없다. 아이들의 두려움을 먹고 자라는 그것은 마음속에 두려움이 있는 한 계속 존재하며 아이들을 쫓아다닐 테니까. 계속되는 그것의 괴롭힘에 이야기가 끝을 모른 채 한없이 길어지는 느낌이었다.

삶의 불안도 이렇게 끝이 없는 것일지 끝날 듯 끝나지 않는 영화에 분위기가 살짝 처진 재희와 주아는 학교 언덕을 내려가 편의점을 다녀왔다. 올라갔다 내려오는 것을 반복하기에는 학교가 지나치게 높은 곳에 있는 것은 아닐까 하는 생각이 들었지만 새벽에 먹는 라면이야말로 제일 맛있는 법이다. 신나게 야식을 먹어 치운 후 재희와 주아는 4층 샤워실로 갔다. 샤워실 안 탈의실 바닥이 학교에서 가장 따뜻한 곳이라 시험 기간이면 거기서 자는 학생들이 많았다. 재희와 주아도 그곳에 종종 올라가서 잤다. 그곳에서 자면 이제 처음에는 둘이 자더라도 일어날 때면 3명이 되거나 5명이 될 때도 있었다. 옆에서 모르는 사람이 있더라도 자리가 있다면 비집고 들어가 자는 것이 그곳의 암묵적인 룰이었다. 밤이 되면 건물

안이 싸늘해져 따뜻한 곳에서 자기 위해 몰려드는 것이다. 사람이 몇 명이 자고 있든 말든 개의치 않고 누워있는 사람을 피해 건너가며 샤워하는 것도 일상적인 일이다.

다행히도 오늘의 샤워실에는 사람이 없었다. 둘은 탈의실을 지나 안쪽으로 들어가 얼음장 같은 찬물로 비명을 지르면서 샤워했다. 샤워한 후 정신이 번쩍 들게 된 두 사람은 다시 내려와 음악을 틀고 소리만 키운 채 이번에는 각자의 자리에서 작업을 시작했다.

영화를 볼 때뿐만 아니라 작업을 할 때에도 주아와 재희는 궁합이 잘 맞았다. 주아는 재희보다 언니이지만 재희가 주아의 작품에 대해 말하는 것을 주의 깊게 들어주었고 재희 또한 그랬다. 서로가 서로에게 상처받는 일 없이 거리낌 없이 이야기하고 받아들였다. 주아는 이야기를 아주 재밌게 하는 사람이었고 재희는 그런 주아의 이야기에 정말 잘 웃는 사람이었다. 재희는 주아랑 밤을 새울 때면 고단하기보단 즐거웠다. 주아 또한 그랬다.

한참을 떠들며 작업했더니 날이 밝았다. 둘에게 졸음이 몰려왔다. 재희는 자신의 작업이 걸려있는 벽 쪽 간이침대에, 주아는 자신의 자리 옆 소파에 누워 잠을 청한다. 재희는 겨울용 침낭을 한 다리에만 걸친 채 옆으로 누워선 휴대폰을 하기 시작했다. 눕기만 하면 기절하듯 잠을 자는 주아와 다르게 재희는 자기 전에 한참 동안 휴대폰을 하는 버릇이 있다. 미술 재료도 쇼핑했다가 다른 작가님들 전시 소식도 찾아보고 그러다 자연스럽게 SNS에 들어가 같이 졸업한 친구들은 뭐 하고 지내나 근황을 찾아보게 되었다. '다들 졸업하고 취직은 했으려나, 다들 어떻게 먹고살까?' 손가락을 위아래로 휘저으며 피드를 아래로 내리니 온통 여행 사진, 전시 보는 사진, 음식 사진들이 나온다.

'아 이 언니는 인턴 한다더니 회사 들어갔나 보네.' '취직하기가 그렇게 힘들다던데

대단하다.' 졸업하고 해외여행을 다니는 친구, 졸업하고 취직 준비를 하는 친구, 연애하는 친구, 아직 졸업을 못 한 친구 등 의미 없이 휴대폰을 만지작거리며 친구들의 근황을 계속해서 확인하다 보니 재희 눈은 점차 감겨갔다.

재희가 누워있는 공간에는 온통 검은색 페인트로 칠해진 어두컴컴한 벽에 크고 작은 재희의 여러 작품이 걸려있다. 바닥에는 재희의 작업 부산물들이 먼지 바닥 이곳저곳에 떨어져 있다. 매우 더럽고 소란스러운 이 공간이 재희에게는 실제 자신의 밝고 깨끗한 방보다 편안하고 아늑하다. 집에서 잘 때는 잠에 드는 시간도 오래 걸리고 일어날 때도 한 번에 일어나는 법이 없어 매일 아침 일어나는 것이 짜증스럽고 힘들었다. 그러나 지금 누워있는 이 공간에서 잠을 자면 한 번에 벌떡 일어나며 굉장히 상쾌한 기분으로 일어나는 것이다. 오히려 학교에서 자는 날이면 평소보다 훨씬 일찍 일어나 학교 앞에 있는 산책로에 가서 산책도 하고 다시 학교로

오는 길에 커피도 마시며 여유로움을 가지기도 했다.

졸업을 뒤로 한 채 학교에서 수많은 밤을 주아와 즐겁게 보내던 재희에게 어느덧 주아 와 헤어지는 날이 찾아왔다. 주아는 재희의 한 학년 선배로 대학원에 1년 먼저 들어왔기에 재희보다 먼저 졸업하기 때문이다. 논문 지도로 가끔만 학교에 오는 주아는 더 이상 학교에서 작업하지 않았다. 비교적 오랜만에 과실을 찾아온 다음에 들어올 학생을 위해 주아는 자리를 정리하기 시작했다. 자리를 정리하면서 꽤 많은 물건이 버려지기 시작했다. 그 모습을 본 재희는 퉁명스럽게 말했다.

"왜 다 버려? 이제 아주 작업을 안 하실 작정인가 봐?"
"너 가질래? 짐이 하도 많아야지. 집에 어떻게 다 가져가냐?"
자리를 정리하면서 버릴 것은 버리고 가져갈 것은 가져가고 재희에게 줄 것은 주고 하면서 하나둘씩 자리를 치워갔다. 재희는 주아의 옆에 서서 자리 정리를 도와주며 툴툴거렸다.

"아니 작업실도 없는 양반이 졸업하고 어디서 작업하게. 다 정리하지 말고 아직 나 학교에 있으니까 나 있을 때 와서 내 자리에서 작업해. 그러면 되잖아!"
"내가 작업하러 올까? 그럼 이건 일단 네가 가지고 있어."
주아의 물건 절반의 절반 정도의 물건은 재희 자리로 가고, 재희의 자리와 같이 더럽고 어질러져 있던 주아의 자리는 어느새 물건 하나 없이 텅 비어버렸다. 먼지 한 톨 없이 치워진 자리에 재희는 시원섭섭한 감정을 느꼈다. 주아는 재희 주변 사람 중 가장 취직에 관심이 없었던 여자다. 언제나 늘 이렇게 말하곤 다녔다.

"취직? 취직을 왜 해? 난 작가로 성공할 거야!"

주아는 작가가 되는 것에 굉장한 자신감이 있었고 확고한 마음을 가지고 있던 사람이었다. 그에 반해 재희는 열심히 작업을 했지만, 작가로 성공하는 것에 자신이 없었다. 작가를 하면서 어떤 일을 병행할 수 있을지도 걱정이 태산이었다. 어떤 일이든 그랬다.

재희는 일을 시작하기도 전에 이게 안 되면 어떡하지, 저게 안 되면 어떡하지, 같이하며 지레 겁을 먹고 걱정만 많이 하는 사람이었다. 반대로 주아는 걱정 없이 쭉 있다가 그 일이 닥치면 거침없이 해결하는 사람이었다. 재희는 그런 주아의 성격이 몹시 부러웠다.

취직을 늘 부정적으로 여기고 거부하던 주아가 졸업을 맞닥뜨리니까 새롭게 느끼는 것이 있었을까. 스스로 취직 준비 학원에 등록하여 취직 준비를 하기로 마음을 먹었다. 주아는 아침 9시부터 저녁 7시까지 월화수목금을 다 학원에서 보내기 시작했다. 취직 준비로 바쁜 주아였기에 재희와 통화하는 것도 힘들었다. 마찬가지로 재희도 학교에서 조교 일을 시작하게 되었다. 재희도 조교 일을 하면서 눈코 뜰 새 없이 바빠졌다. 그렇게 서로가 만나는 일이 드물어졌다.

예전에 주아가 참여했던 아티스트 멘토 프로그램이 있었다. 소위 현재 잘나가는 작가를 불러 멘토로서 아이들에게 강연하고 실습수업을 하는 것으로 그 수업의 보조 선생을 구하는 일이었다. 보조 선생으로 들어간 주아는 보조 일을 하면서도 멘토 작가님에게 자신의 작업을 보여주면서 여러 가지 상담을 받으며 관계를 이어 나가고 있었다. 작가와 만나며 이야기할 수 있는 그녀에게 재희는 종종 궁금한 것들을 물어보곤 했다.

"다른 작가님들은 뭐 무슨 일 하며 사신대?"

재희도 주아도 이미 학부는 졸업한 지금 대체 우리 과 혹은 우리 분야 사람들은 어떻게 살고 있나가 너무 궁금했다.

"카페 아르바이트 일 혹은 미술 학원 선생님 일하면서 사신다고 그러더라고."

주아의 말은 재희에게 충격적이기도 하면서 뻔한 대답이기도 했다. 작가가 된다는 것은 돈을 버는 직장을 가진다는 것과는 다른 것이니까. 돈 벌 궁리는 작업 이외로 찾아보아야 한다는 것쯤은 알고 있었다.

재희는 학교에 다니는 내내 초등학교 때부터 다니던 미술 학원에서 아동미술 강사 일을 하면서 아르바이트를 해왔다. 그래서 재희는 막연하게 그냥 아르바이트하면서 작업하면 된다고 가벼운 생각으로 살아왔다. 그러나 대학원에 와서 열심히 작업을 할수록 점점 졸업이라는 것이 다가올수록 재희는 자신이 무엇을 하고 싶은지 더욱 확실해졌지만 그렇기에 오히려 무엇을 하고 살아야 할지는 더욱 알 수 없게 됐다. 명절 때마다 만나게 되는 친인척들 앞에서 재희의 미래에 대한 주제로 이야기가 나오는 것은 유쾌하지 않은 일이었다. 이대로가 정말로 괜찮은 것인지 아니면 어떠한 새로운 선택을 해야 하는 것인지 매 순간 고민이었다.

재희에게 가장 공포스러운 그것은 한밤중 공중화장실의 핸드 드라이기가 아니라 사회에 나아가 어른이 되어야 한다는 현실이었다. 마치 기한이 정해진 디데이가 있는 것처럼 특정 기한이 지나면 자유 같은 건 사라져 버릴 것만 같았다. 시간이 멈춘 채 영원히 아이로만 남아있을 수 있다면 얼마나 좋을까! 과연 어떻게 살아가야 할지에 대한 막막함이 재희에게 그 어느 것보다 공포로 다가왔다. 재희는 작업이 너무나 좋았지만, 혹시나 내 길이 아닌 곳에 너무 오래 머물러 있는 것은 아닌지 자신의 미래에 대하여 수많은 걱정과 불안감이 뭉쳐 그녀의 가슴을 때리는 것과 같았다. 이러한 내면의 소용돌이는 그녀의 내부에서부터 만들어지기도 했으며 그녀의 주변에서부터 만들어지기도 했다. 사람들은 그녀 대신 그녀의 미래에 대하여 대신 걱정해 주며 불안감을 한 움큼씩 꺼내어 안 그래도 평온하지 않은 그녀의 가슴에 냅다 던져버렸다.

대학교를 졸업하기 전 교수님과의 진로상담을 한 적이 있었다. 교수님은 졸업반 학생들에게 졸업전에 어떤 일을 하고 살 것인지 생각해 보았냐는 질문을 던지셨다. 교수님의 물음에 재희는 두 손을 가지런히 모으고 수그린 채 그저 아직은 졸업하고 싶지 않다고 말했다. 그렇게 재희는 사회로부터의 도피처로 대학원에 들어간 것이다. 재희는 그저 작가가 되는 것이 꿈이었기에 다른 일은 아직 생각해 본 적이 없었다. 그러나 교수님도 재희의 부모님도 이제는 현실적인 것을 생각할 때라고 말한다. 재희는 생각했다.

현실이란 건 무엇일까? 내가 지내왔고 그려왔던 것은 현실이 아니었단 것인가.

꿈나라에서 살던 아이가 메케한 매연들이 뿜어져 나오는 척박한 도시로 쫓겨나듯 사회로 내던져진 기분이었다. 꿈나라에서 살던 아이가 마주하게 된 어른의 도시는 보이지 않는 수많은 선이 이리저리 돋쳐있었고 모든 어른이 그 선에 맞춰 살아가려 노력하며 살아가는 것과 같은 모습이었다. 그들의 선에 맞춰서 살아가기는 굉장히 복잡하고 답답해 보이고 너무 어려워 보였다.

어렸을 때는 인생이라는 것이 참으로 뻔하고 단순하다고 생각했다. 복잡해 보이는 구조물을 따라 공이 굴러가는 장난감이 있는데 인생은 마치 그 장난감과 같다고 생각했다. 그 장난감의 구조는 굉장히 복잡해 보일 순 있지만 딱 설계된 구조물로 그 위로 굴러가는 공은 어디서부터 굴러가기 시작하며 어디가 멈출 지점인지 알 수 있다. 그러나 인생은 시작했던 건 기억도 나지 않고 어디가 오르막길이고 내리막길인지 언제쯤 끝이 나는 것인지 전혀 알

수가 없다. 갈 수 있는 길이 많다고 생각하고 굴러가면 무수히 많은 갈림길이 자신의 앞에 놓여있는 것 같고 길이 하나밖에 없다고 생각하면 길이 단 하나의 길만이 앞에 놓여있는 것 같았다. 그때의 기분에 따라서도 내리막길도 오르막길처럼 느껴지거나 오르막길이 내리막길처럼 느껴질 때가 있어 도대체 어떻게 앞으로 나아가야 할지 전혀 알 수가 없다.

그러나 재희도 이 사실은 알고 있다. 세상을 사는 모두가 인생이라는 길에 굴러가는 공이란 것을, 그리고 시간의 흐름 속에서 여러 다른 길을 선택하여 굴러갈 순 있어도 멈추거나 뒤로 도망갈 수 없다는 것을 알고 있다. 그래서 재희도 일단은 굴러 보기로 했다. 보이지 않는 선에 맞춰 능숙하게 굴러가는 저 공들 중에서도 속으로는 재희처럼 불안감을 가지고 있지 않을까? 인생은 누구에게나 알 수 없는 길일 테니까 말이다. 굴러가다 보면 내리막길이든 오르막길이든 수많은 갈림길이 나타나든지 간에 일단은 굴러가 보자. 그렇게 재희는 굴러가는 중이다.

주아는 아직 취업준비 중에 있다. 재희는 석사를 졸업하자마자 다시 박사에 입학했다. 그런 재희를 보러 주아는 예전과 같이 종종 밤에 학교를 찾아온다. 여전히 같이 영화를 보며 놀다 야식을 먹으러 회색의 꼬질꼬질한 과실 문을 열고 나간다.

재희에게 박사과정이라는 졸업 유예기간이 다시 한번 연장된

만큼 재희는 남은 시간 동안 조금이라도 성장하여 어른이 될 준비가 되기만을 바란다. 주아와 같이 즐겁게 떠들며 장난을 칠 수 있는 지금의 시간을 충실하게 지내면서 말이다.

02

스물일곱

도이진

소설

도
이
진

마케터로 일하고 있습니다. 분명한 목적, 정해진 틀, 비슷비슷한 주제를 가지고
타겟의 니즈를 분석해 설득하는 글을 쓰다 보니, 자유롭게 글을 쓰고 싶어졌습니
다. 마침 앞으로 나아가기 위해 되짚어야 할 시절이 있었고, 그에 관한 이야기를
썼습니다. 세상의 모든 스물일곱이, 그 시기의 좌절을 잘 이겨내기를 바라며.

스물일곱

아무래도 길을 잘못 든 모양이다. 민희는 핸드폰 화면과 주위를 번갈아 보며 옳은 방향을 찾으려 애썼다. 민희는 평점이 좋다는 음식점을 찾아가는 중이었다. 하지만 낯선 인도 땅, 생전 처음 온 도시인 바라나시의 좁은 골목에서 한 번에 길을 찾는 것은 쉽지 않았다. 갠지스강을 따라 이천오백 년 넘게 번성해 온 이 도시의 골목은 서로를 비집고 들어선 건물들로 가득 차 있었다. 그래서 해조차 잘 들지 않고, 좁은 골목 사이로 사람과 소가 뒤엉켜 지나다녔다. 골목을 영원히 굴러다닐 것 같은 검댕을 차며 걷다 보면, 어지럽게 늘어진 전선을 타고 머리 위로 원숭이들이 깍깍대며 지나다녔다. 아직 우기가 다 지나지 않아 날은 찌는 듯이 무더웠다. 민희의 목덜미와 가슴팍에 맺힌 땀이 내 몸을 타고 흘러내렸다.

나는 민희가 늘 목에 걸고 있는 백금 펜던트 목걸이다. 영국의

한 세공사의 손에서 만들어져 일본인 무역상 손을 거친 후, 민희의 외할머니와 엄마, 그리고 7년 전 스무 살의 민희에게 대물림 되었다. 왜, 인간이 오래 지닌 물건은 혼이 깃든다고 하지 않나. 나도 언젠가부터 주변을 바라보며 생각이란 걸 할 수 있게 되었으며, 내 주인들의 생각도 대충 읽을 수 있게 되었다.

"할머니, 도와줘."

민희가 내 펜던트를 만지작거리며 속삭였다. 민희는 나의 비밀을 모른다. 그저 내가 제 할머니의 현신인 양 굴고 있을 뿐이다. 민희의 외할머니인 재선은 일하러 나간 엄마 경란을 대신해 민희를 길러주었고, 그래서 민희가 많이 의지하는 것도 재선이었다. 몇 년전 재선이 세상을 뜬 후에는, 민희는 어느 날부터 곤란한 일이 닥치면 나를 만지작대며 할머니를 찾곤 했다.

"저기, 선생님? 이곳으로 가려면 어떻게 가야 하나요?"

민희가 눈앞의 팔찌 가게에 다가가 물었다. 도서관의 오래되고 먼지 쌓인 책장 같은 이 골목에서, 그 작은 가게는 어울리지 않게 황금빛으로 번쩍거렸다. 화려한 금빛 장신구들이 삼면 가득 걸려 있었고, 바깥을 향해 펼쳐진 매대에는 색색의 뱅글 팔찌들이 가지런히 놓여 있었다. 광을 낸 지도 오래된 백금인 내 모습이 초라하게 느껴질 지경이었다. 하지만 그 휘황찬란함에 관심을 잃은 지 오래인 듯한 주인이 세상만사가 귀찮은 표정으로 민희가 내민 핸드폰을 건네받았다. 그는 핸드폰을 멀찍이 두고 보더니, 손가락을 들어 대로변으로 통하는 골목을 가리켰다. 민희가 인사하고 나가려는 찰나, 가게 주인이 손짓으로 민희를 붙잡았다.

"아가씨, 그 목걸이는 어디서 샀어?"

"이거요? 할머니께서 물려주셨어요."

가게 주인은 다가와 손짓으로 양해를 구하고는 나를 붙잡고 이리저리 살펴보았다.

"형이 보석상을 하면서 오래된 장신구도 취급하거든. 그중에 특별한 힘을 가진 것들이 종종 있지. 이 목걸이도 보통 목걸이는 아닌 거 같네."

주인의 회색빛 투명한 눈동자가 나를 꿰뚫듯이 바라보았다. 내 비밀을 눈치챈 걸까?

"그게 무슨 말씀이세요?"

주인 남자는 민희가 알아들을 수 없는 언어로 바꾸어 중얼거렸다.

"흑마법은 아닌 것 같고, 정령이라도 깃든 모양이군."

가게 주인은 민희를 한번 바라보았다. 민희는 영문을 모르겠다는 표정으로 주인의 시선을 맞받았다. 그러자 주인이 빙그레 웃으며 말했다.

"겁먹을 필요는 없고, 모르지. 언젠가 도움을 줄지."

민희는 어떻게 반응해야 할지 몰라 멋쩍게 웃었다.

"큰길을 따라서 쭉 가다 보면 차가 다니는 도로가 나오는데, 거길 건너가면 찾을 수 있을 거야."

"네, 감사합니다."

가게 주인은 다시 원래의 심드렁한 표정으로 돌아갔다. 민희는 잠시 고개를 갸웃거렸지만, 다시 길을 걷기 시작했다.

대로변은 높은 상가 건물들이 훨씬 정돈된 모습으로 줄지어 서 있었다. 하지만 오가는 사람들은 더 많아졌고, 오토바이, 오토 릭샤의 날카로운 경적이 쉴 새 없이 들려와 귀가 찢어지는 것만 같았다. 하지만 민희는 누군가가 지름길을 가르쳐준 지금이 마음이 편했다. 민희에게 최근 일어났던 일들은 모두 선택의 연속이었다. 하지만 어떤 선택을 하든 모두 잘못된 일인 것만 같았고, 또 무언가가 그런 길로만 가라고 민희를 몰아내는 것만 같았다. 별일 없을 줄 알았던 3주 전의 아침부터 그랬다. 그날, 부장은 민희가 출근하자마자 근처 카페로 불러냈다.

"민희 님, 신입이 다양한 걸 해봐야지. 이건 민희 님한테 기회야."

"프로젝트가 1년 반 뒤에 끝나면, 다시 원래 팀으로 돌아오는 걸 고려해 볼 수도 있어."

그럴듯한 말로 시작한 이야기의 요지는, 최근 따낸 의료기기 제조업체의 마케팅 대행 계약 중 전국 박람회 영업을 민희가 다른 과장과 단둘이 한 팀으로 전담해달라는 거였다. 심지어 그 과장 또한 다른 회사에서 신입 시절에 비슷한 일을 몇 개월 해봤다는 것이 가진 경험의 전부였다. 모두 계약의 내용은 이전부터 대충 알고 있었고, 그걸 누가 맡냐고 설왕설래하던 차였다. 하지만 컴퓨터 앞에 앉아 영상과 이미지 콘텐츠를 만들어내는 민희에게 그 업무가 돌아올 줄은 몰랐다. 민희의 심장이 쿵 하고 내려앉는 것이, 나 또한 느껴졌다.

"부장님, 저는 이런 일은 생각해 본 적이 없어요."

대학 졸업 전부터 줄곧 뉴미디어 PD를 희망하며 포트폴리오를 차근차근 쌓던 민희는 아빠가 음주 운전으로 다중 추돌 사고를 내며 꿈을 꺾었다. 아빠의 수술비와 거액의 합의금을 갚기 위해서는 안정적인 일자리가 필요했고, 일단 합격시켜 준 마케팅대행사에 입사했다. 아주 적성에 맞지는 않지만, 그나마 SNS 광고용 영상을 만들어내니 아주 다른 일을 하지는 않는다는 만족감이 있었고, 나머지 업무는 억지로라도 할 만 했고, 무엇보다 돈이 나오니까 붙어 있었다. 이렇게 일단 발등에 붙은 불부터 끄고, 다시 원하는 일을 할 생각이었다. 하지만 부장이 말한 직무로 옮긴다면 아예 관련이 없는 일을 하며 전국을 돌아다녀야 했고, 무엇보다 그런 형태의 영업은 민희가 영 자신이 없었다.

"민희 님, 이거 내가 제안하는 게 아니야. 다음 주부터 민희 님이 당장 해야 하는 거야."

부장과 함께 돌아온 민희를, 팀장은 무력한 얼굴로 외면했다. 거기에서 그쳤으면 민희는 지금처럼 상처받지는 않았을지도 모르겠다. 그날 점심, 민희가 탕비실을 지나던 때였다.

"민희 걔는 그래도 못 나갈걸요? 걔 아빠 빚 갚아야 하는데 어떻게 나가요."

그 순간, 좁은 곳을 확대하고 있던 머릿속 영상의 비율이 재조정되었다. 비로소 모든 것이 이해되었다. 사수가 민희의 사정을 윗선에 흘리면서, 갑자기 보직이 이동되어도 나가지 않을 사람으로 민희가 선택된 것이었다. 오후에 전 직원에게 메일로 민희의 인사이동이 공지되었다. 그리고 민희의 자리는 사장의 조카라는 대학생이 인턴으로 들어와 채운다고 했다. 민희는 사무실을 뛰쳐나오면서 생각했다. 남들은 젊음을 즐기기에도 바쁜 스물일곱의 여름이 나에게는 너무 잔인하다고. 누군가는 월급을 고민 없이 쓰며 해외여행도 다니고, SNS에는 회사 이름이나 직업을 걸고 떵떵거리고 있는데, 나는 왜 집안의 빚을 갚느라 하고 싶은 일을 하지도 못하고 있냐고. 스물일곱이면 그래도 어딘가 자리를 잡았겠거니, 막연히 생각했던 내가 잘못된 거였다고. 내가 어떻게 더 노력해야 했던 걸까? 나는 이렇게 원하는 삶에서 영영 미끄러져 멀어지게 되는 걸까? 그날도 민희는 나를 붙잡고 울먹였다.

"할머니, 나 이제 어떻게 해? 왜 내 스물일곱은 이래?"

마침내 찾아낸 음식점은 아주 오랫동안 이 자리를 지키고 있었는지, 벽면 곳곳이 낡아 떨어져 나갔고, 공기 중에 커리 냄새가 눅진하게 배어 있었다. 민희는 테이블 사이에 비집고 앉아 오는 길에 산 생수를 따 벌컥벌컥 들이켰다. 털털 소리를 내면서도 잘 돌아가는 낡은 에어컨이 민희의 열기를 식혀주었다. 민희가 저도 모르게 큰 소리로 감탄사를 내뱉었다.

"아, 시원해!"

민희가 갑작스럽게 터져 나온 한국말에 민망해하는데, 뒤에서 누군가가 말을 걸었다.

"저기요."

"네?"

갑자기 들려온 한국말에 고개를 돌아보니, 덥수룩하게 턱수염을 기르고 주황색 페이즐리가 그려진 두건을 써 언뜻 보면 한중일 어느 나라 사람인지 구분이 안 되는 남자와, 한 인도인 여자가 한 테이블에서 자신을 바라보고 있었다.

"한국말이 들려서요. 괜찮으시면 저희랑 합석하지 않으실래요?"

갑작스러운 제안에 민희는 당황해하며 인도인 여자를 바라보았다. 또래인 듯한 여자는 바라나시 길거리에서 쉽게 마주할 수 있는, 화려한 전통 의상을 차려입은 순례객들과는 다른 모습이었다. 아무 무늬가 없는 까만 티셔츠를 입고 있었고, 머리카락은 하나로 단순하게 묶고 양쪽에 커다란 링 귀걸이가 반짝였다. 여자는 민희와 눈이 마주 치자 이가 모두 보일 정도로 크게 미소 지었다. 민희는 잠시 망설이다 그 테이블로 건너갔다.

"반가워요. 아, 영어로 해야 하나? 저는 김원식이라고 하고, 세계 여행 중이에요. 바라나시에 온 지는 한 달 됐어요. 이쪽은 마두, 우리도 방금 합석해서 만났어요."

"안녕, 나는 콜카타에서 왔어요. 전 가족이랑 왔는데, 좀 싸워서 혼자 있는 참이에요."

마침 마두와 원식이 시킨 음식이 차례로 나왔다. 민희는 식사를 시작한 마두와 원식에게서 고개를 돌려 창밖을 바라보았다. 정오의 햇빛 속에서 묘기 부리듯 짐을 어깨 위로 높이 쌓은 남자, 뿔이 길고 크게 난 소, 가방을 둘러멘 한 무리의 대학생들이 바쁘게 길거리를 지나다니고 있었다. 이윽고 민희가 주문한 음식이 나왔다. 초록 고수가 잔뜩 뿌려진 주황색 커리에서 낯선 향신료 냄새가 솔솔 올라왔다. 주위에서 들려오는 낯선 언어들까지 모든 것이 생경했다. 민희는 인도로 도망쳐 왔다는 게 갑자기 실감 나는 동시에 믿기지 않았다.

"바라나시에는 언제 왔어요?"

"어제요. 인도에 어제 도착했어요."

마두의 물음에 민희가 물티슈를 꺼내 손을 닦으며 대답했다.

"그랬구나, 왜 이 여기로 오게 된 거예요?"

"음, 도망쳤어요."

마두가 놀란 표정으로 바라보았다. 그리고 웃으며 말했다.

"사실 나도 그래요. 발리우드에서 배우 생활을 하다가, 아무리 해도 조연조차 맡기가 쉽지 않아서 좀 지친 상태였거든요. 나이도 이제 스물일곱인데."

"앗, 나도 스물일곱이에요."

"미안해요. 난 서른두 살인데. 빠져 줄까요?"

원식의 능청스러운 말에 민희와 마두는 마주 보고 웃으며 손사

래를 쳤다. 그 짧은 순간, 민희는 저도 몰랐던 긴장감이 일시에 풀렸다. 하지만 뒤에 떠오른 생각은 속으로 삼켰다.

'도망치는 게 이렇게 쉬웠는데.'

인도행을 결정하는 과정이 쉽지만은 않았다. 인사이동이 발표되고 돌아온 금요일에, 민희는 대학 동기들과 술자리를 가졌다. 친구들은 민희의 사연을 듣자마자 기다렸다는 듯 말했다.

"그래, 요즘은 경력 있는 중고 신입이 낫대. 그냥 퇴사해."

"너 점점 얼굴이 안 좋아져서 걱정했었어. 잘 웃지도 않고."

그날 모인 동연, 은비, 재호, 그리고 석준은 모두 민희와 대학교 1학년 때부터 같이 몰려다니던 사이였다. 각자의 사정으로 군대에 다녀오고, 휴학하거나 어학연수를 다녀와도 성격 좋은 동연을 중심으로 서로 소원해지지 않아 민희가 많이 의지하고 있는 친구들이기도 했다. 이제는 의지하는 것이 눈치가 보이긴 했지만. 4학년 2학기에 대기업에 입사한 석준과 어쨌든 작은 마케팅대행사에 비집고 들어간 민희와 달리, 동연은 인턴만 2번 하고는 취업에 번번이 실패하고 있었고, 은비는 줄곧 공기업을 준비했으나 마지막 면접까지 간 적이 없었다. 재호는… 내가 놓쳤을 수도 있지만, 무슨 일인지 마지막 학기를 남겨두고서는 일용직, 아르바이트를 몇 달하고는 훌쩍 야영을 떠나는 일을 반복하고 있었다. 점점 달라지고 있는 삶의 모습을 숨길 수는 없었고, 민희는 동연이 아니었다면 이 모임은 이미 깨졌을 거라는 생각을 가끔 했다.

"나는 좀 다른 의견인데."

홀로 술잔에 소주병을 기울이던 석준이 말했다.

"뭔데?"

"일단 시키는 대로 해. 너네는 정규직은 안 해봐서 모르겠지만 이렇게 갑자기 인사이동 하는 건 부지기수야. 전부터 생각한 건데, 너희 취업을 너무 쉽게 생각하는 거 아니냐? 들어갔으면 어떻게든 붙어 있어야지."

석준의 말에 모두가 잠시 침묵했다. 머리 위에 달린 스피커에서 걸그룹의 밝고 귀여운 노래가 흘러나왔지만, 민희와 친구들 사이에 무겁게 내려앉은 분위기를 풀어주진 못했다. 민희의 심장이 흐르는 비트보다 쿵쿵 빠르게 뛰는 게 느껴졌다. 은비가 팔짱을 끼고 눈을 한 바퀴 굴리더니 석준을 똑바로 노려보았다.

"야, 너야말로 우리를 좀 쉽게 생각하는 거 같다?"

"그런 뜻은 아닌데. 우리 스물일곱이잖아. 내년이면 취업 문이 더 좁아질 거야. 다른 모임 가면 주식이 어떻고, 커리어의 다음 스텝이 어떻고 말하는데 너희 모두, 언제까지 이러고 있을래? 그리고 난 다 너희를 위해 하는 말이지 다른 뜻은 없어."

민희는 그동안 애써 외면하려 했던 것들의 값을 매겼다. 석준이 입고 쓰고 있는 모든 것들. 한 장에 삼십 만원을 호가하는 브랜드 티셔츠, 값비싼 시계, 후미진 곳에서 팝업스토어를 열어도 사람들 줄을 세우는 브랜드의 안경까지. 석준은 같은 테이블에 앉아 있는 동시에, 저 멀리에 있었다. 민희가 입을 떼려던 찰나, 재호가 말했다.

"야, 너 그냥 그 모임이랑 놀아라. 여기서 복장 터지게 하지 말고."

평소 사람 좋아하는 시골 강아지 같던 동연조차 석준을 노려보고 있었다. 금방이라도 주먹이 날아갈 태세였다. 팽팽한 긴장에 기름을 들이부은 것은 은비였다.

"오~ 그래서, 너는 여기서 유일한 승리자라는 거?"

"난 그런 뜻이 아니라니까."

"자, 승리자에게 박수!"

은비가 크게 박수를 치자 동연과 재호가 천천히 동참했다. 짝, 짝,짝. 박수 소리가 나자, 옆 테이블에서 돌아보았다. 석준의 목에서부터 얼굴까지 모두 새빨개지기 시작했다.

"그래, 이 패배자 새끼들. 잘들 놀아라, 간다."

석준은 바로 자리를 박차고 일어나 술집을 나가버렸다. 석준의 빈자리는 긴 침묵이 채웠다. 민희는 앞에 놓인 원형 스테인리스 테이블을 내려다보았다.

패.배.자.

이 세 단어가 이제 양파밖에 남지 않은 닭발 볶음 접시에, 육수를 몇 번씩 부어 여전히 끓고 있는 어묵탕에, 코를 푼 휴지가 아무렇게나 널려진 테이블 곳곳에 덕지덕지 붙어 있었다. 그것이 그날의 마지막 기억이다. 그리고 며칠 후, 민희는 어스름한 새벽에 문득 컴퓨터를 켜서는 인도행 비행기를 결제했다. 민희는 커다란 난을 찢으며, 석준이 인도로 떠난 자신의 소식을 들으면 반응이 어떨까 궁금해졌다. 여전히 도망쳐버린 패배자라고 생각할까? 민희는 난을 커리에 푹 찍어 한입 베어 물었다. 가게 안을 가득 채운 커리 냄새와 마침내 한 몸이 되는 것만 같았다.

"치킨 커리는 어때요?"

생각에 잠긴 민희에게 원식이 한국말로 물었다.

"고수 향이 세긴 한데, 맛있어요."

"바라나시에서 맛있다는 커리 음식점은 다 가본 것 같은데, 여기가 최고예요."

원식이 자기 몫의 초록색 커리를 먹으며 말했다. 알아들을 수 없는 언어에 마두가 커다란 눈을 굴렸다. 원식이 방금 했던 대화에 대해 영어로 설명하자 마두는 고개를 끄덕이며 웃었다. 셋은 날씨가 덥다느니, 바라나시에는 유난히 소가 많다느니 같은 대화를 주고받으며 식사를 이어갔다. 원식이 갠지스강을 따라 만들어져 온 갖 의식이 행해지는 돌계단인 가트를 구경 가자고 제안했고, 셋은 함께 가게를 나왔다.

민희는 숙소에서 눈을 뜨자마자 환전에 유심을 사느라 시간을 보낸 터라, 아직 숙소 바로 뒤에 있는 갠지스강 근처에도 가보지 못했다. 가트로 가는 길은 다시 왔던 길을 돌아가다가, 어느 후미진 골목으로 들어가야 했다. 골목은 갈수록 좁아지고 복잡해졌다. 골목을 한번 돌 때마다 수염을 기다랗게 기르고 주황색 터번과 주황색 옷을 입은 남자 수도자들이 우두커니 앉거나 서 있었다. 알록

달록한 옷을 입은 순례객 한 무리가 지나가기도 했고, 갑자기 소가 튀어나오기도 했다. 이방인이라면 예상하지 못할 이채로운 풍경에 민희는 묘한 해방감이 들었다. 3주 전이었다면 전혀 상상도 못 했던 일이었으니까.

'꼭 FPS 게임하는 것 같네.'

필요한 일들을 해치우고, 배까지 채운 민희는 이제야 주위의 모든 것이, 사소한 것 하나하나가 똑바로 보이는 기분이었다. 에메랄드색으로 칠한 벽, 어느 집 문 위에 그려진 힌두교의 신들, 앞서가는 한 노모의 사리에서 빛나는 금박, 세월에 녹이 슬었지만 화려하게 장식된 구리 문고리, 무언가에 신났는지 웃으며 달려오는 아이의 맑고 큰 눈, 민희는 큰 것보다 작은 것들을 들여다보는 재주가 있었다. 골목에 사람들이 별안간 많아져 정체되었다. 천천히 그 끝을 따라가 보니, 한 화려하게 양각으로 장식된 사원의 문이 사람들을 빨아들이고 있었다. 마두가 무심코 행렬을 따라가려는 민희를 제지했다.

"힌두교도가 아니면 안에 들어갈 수 없어, 바깥에서 보자."

밖에서 빼꼼 고개를 내밀고 본 사원에서, 사람들은 저마다의 몸짓으로 신을 향해 무언가를 간절히 빌고 있었다. 마두가 제단 위에 자리 잡은 신들에 대해 신화까지 열심히 설명하여 주었으나 민희는 이내 흥미를 잃어버렸다. 나는 민희가 그러는 이유를 알고 있었다. 민희는 일방적인 보직 이동 통보를 받은 후, 새벽마다 몇 번씩 잠에서 깼다. 그리고 깰 때마다 새로이 깨달았다.

'뭔가 큰일이 있었던 것 같은데.'

'아, 나 인사이동 당했지.'

그렇게 잠에서 깨면 민희는 한동안 잠에 못 이루다, 꿈인지 뭔지 모를 생각들이 스쳐 지나가는 선잠에 빠졌다가, 동이 트기 한참 전부터 일어났었다. 내가 가진 또 하나의 비밀은 민희의 꿈까지도 들여다볼 수 있다는 건데, 그즈음 민희는 꿈 하나를 반복해서 꾸고 있었다. 그 꿈에서 민희는 옛날에 살던 복도식 아파트에서 매번 무언가를 찾고 있었다. 간절히 원하지만, 형체가 분명히 보이지 않는 무언가. 하지만 복도가 끝없이 이어지거나, 갑자기 눈앞의 풍경이 쉐이크처럼 돌거나, 엘리베이터 문이 열렸는데 다시 복도가 이어지며 꿈에서 깼다. 어둠 속에서 현실에 돌아온 것을 깨닫고 나면, 민희는 당장 다음 달에 내야 할 돈들과, 그만뒀을 때 저축액으로 버틸 수 있는 기간과, 퇴직금으로 급하게 처리할 수 있는 일들을 복잡하게 계산했다. 다시 잠들지 못할 정도로 완전히 깨버리면 SNS를 켰다. 직장에 잘 적응한 친구들이 회사 동기들을 여러 명 태그한 흥겨운 술자리 사진이나, 따위를 경쟁적으로 올려댔다. 일주일이 넘어가던 새벽, 민희는 처음으로 무릎을 꿇고 기도를 올리기도 했다. 신이 있다면 내 기도를 들어달라고, 지금이라도 내게 벌어진 일들을 정정해달라고, 아니, 할 수만 있다면 시간을 되돌려달라고. 가능하면 가장 먼 과거로. 하지만 신은 민희의 기도를 들어주지 않았다. 무릎을 꿇고 엎드린 민희의 기도를 가장 가까이서 들은 것은 입술께에 놓인 나였는지도 모르겠다. 민희는 제단을 올려보았다. 신상은 아기 주먹만 한 꽃들로 처음부터 끝까지 엮은 크고 긴 목걸이를 몇 개씩 걸고, 발밑에는 공양물을 둔 채 묵묵히 앞을 바라보고 있었다. 민희는 주렁주렁 매달린 꽃들을 말없이 응시했다.

"신상이 모두 꽃목걸이를 걸고 있네. 이유가 뭐야?"

"신들에 대한 공경을 의미해. 우리의 사랑을 표현하는 방식이지."

민희는 자신의 발치에도, 미처 사원에 들어가지 못한 주황색 꽃잎들이 떨어져 있었다. 아직 밟히지 않은 꽃잎의 색이 선명했다. 민희는 순간 그 깨끗한 주황을 흙 속에 짓이겨 버리고 싶은 충동이 들었다. 하지만 이내 고개를 돌렸다.

"가자."

원식과 마두, 민희 셋은 마침내 가트에 도착했다. 이제껏 봤던 것보다 더 많이, 사람들이 강가에 모여 있었다. 강가의 풍경은 세상사의 모든 것을 모아놓은 것만 같았다. 어떤 가족들은 기념사진을 찍고, 한 무리의 사람들이 몸을 담그고 기도를 올리고 있었다. 저쪽에서 목욕을, 이쪽에서는 빨래를, 또 한쪽에서는 커다란 꽃바구니에 신상의 목에 걸려 있던 꽃목걸이를 팔고 있었다. 이제 민희는 짧은 시간에 너무 많은 것들을 본 탓에 정신이 빠질 지경이었다. 민희는 일부러 강 저 멀리에 시선을 두고 마두, 원식과 함께 강을 따라 걸었다.

"내가 있던 세계는 경쟁이 너무 치열했거든. 이제 너무 지쳤어."

마두의 푸념에 민희는 깊이 공감하며 한국도 그렇다고 말해주었다. 지옥 같은 입시, 대학의 줄 세우기, 취업, 무엇 하나 경쟁이 아닌 것은 없다고. 알고 보니 인도도 입시부터 경쟁이 만만치 않은 나라였고, 지금까지 시달려온 온갖 경쟁에 관한 대화를 주고받으며, 셋은 연이어 한숨을 쉬었다. 원식이 마두에게 물었다.

"그래서 배우를 그만두려고?"

"음, 일단은 콜카타로 돌아가서 한 달은 더 쉬려고 해."

마두가 처연한 눈길로 강 너머를 바라보았다. 민희는 내심 마두가 부러웠다. 쉬고 싶을 때 스스로 쉴 수 있는 것은 얼마나 축복인가. 경쟁에서 쫓겨난 자와 스스로 물러난 자의 차이에 대해 생각하며 민희는 몰래 한숨을 또 쉬었다. 마두가 화제를 돌렸다.

"저녁에는 여기서 푸자를 할 거야. 꼭 봐, 힌두교 인이 아니더라도 한 번 보는 걸 추천해."

"푸자가 뭔데?"

"갠지스강의 여신인 강가와 시바 신께 드리는 의식인데, 정화의 상징인 활활 타는 불을 들고 사제들이 일렬로 서서 거의 두 시간 동안 제례를 진행해. 사람들은 그 의식을 통해 정화와 축복을 빌어. 그 광경이 장관이라, 한번 보면 잊을 수 없을 거야."

마두는 갑자기 울린 핸드폰으로 전화를 받더니 부모님이 찾는다며 인사를 하고 급하게 떠났다. 남은 민희와 원식은 다시 골목으로 들어와 어느 요거트 가게를 찾아갔다. 원식은 붉은 석류알이 가득 올려진 흰 라씨를 한 입 퍼먹고는 말했다.

"민희 씨, 스물일곱이라고 했죠?"

"네."

"좋겠다."

민희는 도대체 뭐가 좋다는 건지, 순간 욱하며 애꿎은 원식에게 따져 묻고 싶었다. 나이를 밝히면 으레 나이 많은 사람들은 하나같이 이런 반응이었다. 하지만 이런 부러움은 한순간이었고, 곧 이용해 먹을 수 있는 어떤 약한 존재로 전락하기 일쑤였다. 거래처의 대리도, 소개팅에서 만난 한참 연상의 남자도, 방을 구하러 다니던 친구와 같이 만난 작은 원룸의 집주인도, 믿었던 사수마저도 그랬다.

"학생이에요?"

"일하다가 왔어요."

"그럴 것 같았어요. 말하는 게 어딘가 학생 같지는 않았거든."

원식은 라씨를 세 숟갈 만에 다 먹고는 입맛을 다셨다. 민희는 토기를 들고 노란 강황 가루와 녹색 카다멈이 올려진 흰 라씨를 느리게 한 입, 두 입 떠먹었다.

"도망쳤다고 했죠? 나도 스물일곱에 도망친 적이 있어요."

"뭐 때문에요?"

"천재라고 불리는 뮤지션들은 스물일곱에 다 요절하잖아요? 난 그게 꿈이었거든요. 음악으로 세상을 휩쓸고, 천재 소리 들으면서 어느 날 죽어서 전설이 되는 거요. 하지만 나는 음악을 아무리

해도 안 떴고, 죽어버리기에는 쪽팔리고, 도망쳤지. 그때는 남미
로."

민희는 다시 원식을 찬찬히 살폈다. 이제 보니 풍기는 분위기가
음악을 할 것도 같았다. 겉모습부터 어떤 조직의 틀에 맞추는 것과
는 한참 멀었다. 흰 박스티 바깥으로 드러난 팔뚝에는 의미 모를
타투가 길게 뻗어 있었고, 손목에는 가죽, 실, 금속 팔찌를 주렁주
렁 달고 있었다. 눈썹에는 피어싱이 있었고, 수염이 턱을 덥수룩하
게 감싸고 있었다. 사실 수염을 깎으면 꽤 잘 생겼을 얼굴이었다.
지금도 갸름한 얼굴형과 높고 오뚝한 콧날 덕분에 수염이 잘 어울
리기도 했다. 민희와 원식의 눈이 마주쳤다. 원식이 웃었다. 웃는
게 예쁜 사람이었다. 민희는 멋쩍게 웃고는 얼른 눈을 돌려 라씨를
한 입 더 퍼먹었다.

"민희 씨는 왜 도망쳤어?"

"회사에서 하기 싫은 일을 맡아서요. 그리고 배신도 당했거든
요."

원식은 궁금한 눈치였지만 더 묻지는 않았다. 바라나시에서 자
신이 겪었던 에피소드들에 대해 이것저것 이야기 시작했다. 민희
는 관심 있는 척 맞장구를 치며 들었다. 사실은 힘줄이 드러난 원
식의 까무잡잡한 팔뚝에, 짙고 긴 속눈썹에, 웃을 때마다 시원하게
올라가는 입꼬리에 자꾸만 눈이 갔지만 티 내지 않으려 노력했다.
가게 주인이 끼어들어 말을 걸었을 때는 고마울 정도였다. 민희의
과거 남자들을 아는 나는 조금 의외라고 생각했다. 무엇보다, 원식

은 민희의 아빠와 생김새와 말투가 어딘가 닮아 있었다. 민희의 아빠인 유철은 민희네 삼대의 남자 중 가장 한심했다. 민희가 중학생일 적 잘 다니던 카드 사에서 구조조정으로 잘린 후, 유철이 살아온 삶이야말로 도망의 역사였다. 조금 쉬겠다는 기간이 거의 일 년이 되더니, 아내인 경란의 채근에 시작한 수입 식품 유통 사업은 얼마 못 가 망했다. 그때 나는 경란의 목에 걸려 있었고, 경란이 밤낮없이 일하는 것을 지켜봤다. 경란은 유철이 집 안에 드러누워 있어도, 항상 성실하게 일했다. 유철은 민희가 대학 갈 때쯤이 되어서야 택시를 시작했고, 안정적으로 돈벌이를 하나 싶었더니 사고를 냈다. 그 사고로 빚이 생겼는데도 아프다고 드러누운 지가 또 일 년이었다. 그래서 민희는 술만 마시면 아빠 같은 사람은 닮은 것조차 싫다고 말하고 다녔다. 원식은 그런 유철과 생김새도, 말투도 어딘가 닮아 있었다. 하지만 민희는 지금 바라나시의 미로를 누비며 나누는 원식과의 대화가 꽤 즐거운 모양이었다. 원식이 말했다.

"아까 마두가 말한 푸자, 같이 보러 갈래요?"

골목 틈새로 새어 들어온 햇빛이 둘 사이로 내리쬐었다.

"좋아요."

저녁이 되어 민희와 원식은 조금 이른 식사를 하고, 다시 가트로 향했다. 푸자는 이미 시작해 있었고, 사람들이 구름같이 제단 앞에 몰려 있었다. 강을 바라보고 선 사제들이 음악에 맞추어 리드

미컬하게 활활 타오르는 불을 들고 올렸다가, 휙 돌렸다가, 정해진 동작을 수행했다. 강 한쪽에서는 한 무리의 사람들이 강에 꽃으로 장식한 소원초를 접시에 담아 띄우고 있었다. 민희는 거동이 불편해 보이는 한 할머니가 허리를 잔뜩 숙여 소원초를 띄우는 모습을 보자마자, 별안간 속이 울렁거렸다.

"가요. 더 이상 보고 싶지 않아요."

민희는 자신도 이해할 수 없을 정도로 비집고 나오는 울음을 참으며 가트를 빠져나왔다. 원식은 민희를 잠자코 따라왔다. 원식의 제안으로 둘은 함께 원식이 묵고 있는 게스트하우스 옥상으로 향했다. 옥상에서도 멀리 푸자가 계속되고 있는 것이 보였지만, 훨씬 조용했다. 강물이 유유히 까맣게 흐르고 있었다. 원식은 주문한 음식을 들고 테이블로 돌아왔다.

"푸자를 보고 싫어할 줄은 몰랐는데, 미안해."

"아뇨, 이건 순전히 제 문제예요."

민희가 원식이 차리는 음식 앞에 앉으며 말했다.

"왜 그랬는지 물어봐도 돼?"

민희는 순간 망설였다. 고개를 돌리니 희뿌연 운무가 낀 밤하늘에 붉은 달이 떠 있었다. 살면서 한 번도 보지 못한 붉은 달이었다. 민희는 입술을 한번 깨물고 이야기를 시작했다.

"신을 믿지는 않지만, 살면서 간절하게 빌었던 순간은 많아요. 하지만 한 번도 이루어진 적이 없어요. 그러다가, 이런저런 일들이 벌어져도 전혀 도와주지 않는 세상이 싫어서 도망쳐 나왔어요. 소원을 비는 사람들, 이제 한심해요. 솔직히 말하면, 그들은 희망이 아직 남은 삶을 사는 것 같아서 부럽기도 해요. 토할 것 같이."

"무슨 일이 있었길래."

원식이 민희에게 콜라를 한 잔 따라 건넸다. 민희는 음주가 불법인 이 도시에서, 이 순간 술 한잔이 정말 간절했다. 민희는 힘겹게 그동안의 일을 설명했다.

"…그렇게 일주일 넘게 잠도 제대로 못 자다가 퇴사를 결정했어요. 엄마한테 말했더니 역시나, 불같이 화를 냈어요. 처음엔 잡히는 대로 던지다가, 목 놓아 울었어요. 제 탓을 하면서."

"저런."

원식은 민희의 말들에 별로 관심 없는 모습이었지만, 민희는 눈치채지 못했다.

"항상 그런 식이었어요. 엄마에게는 남편과 딸, 아들 하나씩 있는 가족의 그림이 중요하거든요. 저는 그 그림을 유지하기 위해서 잘난 딸이 되어야 했고, 동생한테는 엄마가 생각하는 모범을 보여야 했고, 졸업하고서는 아빠의 빚을 갚는 데 동원되어야 했어요. 이제 지긋지긋해요."

아니, 아니다. 내가 아는 경란은 달랐다. 나는 경란이 지금의 민희와 비슷한 나이일 적에 외할머니인 재선에게서 경란에게로 건네졌다. 경란은 나를 그리 좋아하지 않았다. 나는 경란에게, 철모르는 아이 같은 제 엄마를 상징하는 것이었다. 재선은 부잣집 딸로 태어나 고생을 모르고 자랐고, 남편의 사업 실패로 집안이 쓰러져 갈 때 패물을 정리하고 난 후 그래도 여자는 목걸이 반지가 하나쯤 있어야 한다며 나를 사들였다. 사실은, 언젠가 경란에게 돈이 될까 싶어서 사들인 것이었다. 하지만 평소 재선이 돈을 만드는 데 영 재주가 없었고, 어디 시장에 앉아서 돈을 벌지도 못 하는 성격이어서 경란은 그 이유를 가늠하지 못했다. 경란은 집안이 쓰러져 가는데도 집안에 앉아 전축에 음악을 듣는 것을 더 좋아하며 악다구니는 쓸 줄 모르는 엄마를 많이 미워했다. 경란은 알아서 여상을 갔고, 은행에 입사했고, 제일 잘나가는 카드사에 다니던 유철 정도면 경제적으로 풍족하겠다는 생각으로 골라 결혼했고, 유철이 실패에서 다시 일어설 줄 모르는 남자로 판명 났을 때는 그 실패를 메우기 위해 열심히 일했다. 생존을 위해 노력하고, 일가족을 이룬 자신의 선택에 책임을 지는 것, 경란이 살아가는 원동력은 그것이었다. 그리고 딸도 그러기를 바랐다. 경란이 놓친 것이라면, 경란이 바라는 가족의 모습이 민희의 행복이 아닐 수도 있다는 것, 민희가 살아가는 시대는 경란의 것과 다르고, 민희가 원하는 삶의 모습도 경란과는 다르다는 것이었다.

"아직 나이가 어린데, 고생이 많았네."

이걸 고생이라고 해야 할지, 민희는 망설였다. 민희는 엄마의 고난과 역경을 수도 없이 듣고, 보고 자랐다. 그리고 수도 없이 들어왔다. 너희 때는 정말 팔자가 좋은 거라고.

"민희 씨 스물일곱이라고 했지?"

"네."

"스물일곱, 지나고 보니 그 나이 때 잘나가는 건 정말 복이라고 생각해요. 얼마나 즐기기 좋은 나이야? 미성년자 티를 벗지 못한 스무 살도 아니고, 성인으로 놀아볼 것도 웬만큼 놀아봤고, 돈도 일찍 벌고 인생에 큰 이벤트가 없었다면 어느 정도 모았을 테고, 대학을 나와서 좋은 직장 잡았다면 그보다 효자 효녀가 없지. 아직 결혼 생각 안 하고 놀아도 되고."

민희는 고개를 끄덕이며 앞에 놓인 볶음면을 포크로 돌돌 말았다. 커리 가루로 볶아 노란 납작한 면이 자꾸만 빠져나갔다.

"솔직히 나는 그 나이 때 이십 대가 얼마 남지 않았다는 게 두려웠어. 나는 천재 뮤지션이라고 굳게 믿었는데 그렇지 않았고, 이룬 것은 없고, 앞이 보이지 않았으니까."

"딱 그게 저인 것 같아요."

"하지만 서른 넘고 보니, 또 그럭저럭 살아지고, 돌아보니 그때 걱정은 별거 아니었어. 물론 나도 부모님은 답답해하시지, 그렇게 살아서 언제 네 앞가림을 할 거냐고. 하지만 뭐 어때, 나는 이렇게 잘 살아있는데."

민희는 다시 볶음면을 말아보려고 했지만, 다시 후루룩 풀려서 포기했다. 대신 입으로 재빨리 가져가 먹는 데 결국 성공했다. 잘 먹는 민희를 보던 원식이 말했다.

"술은 아니지만 짠, 하자. 별 볼 일 없는 우리의 스물일곱을 위해!"

민희는 웃으며 원식의 잔에 자신을 갖다 댔다. 청량한 유리 소리가 밤을 타고 올려 퍼졌다.

"난 아직 음악을 하거든. 여전히 내 음악은 인기가 없지만 계속 음악을 하고, 돈이 부족할 때는 다른 일도 해. 그러면서도 살아. 내 음악 들어볼래요?"

원식이 핸드폰을 꺼내 한참을 뒤적거리더니, 음악을 재생했다. 기타 소리를 배경으로 꾹꾹 눌러 담은 남자 목소리와, 허스키한 여자의 목소리가 듀엣을 이루며 흘러나왔다. 원식은 데모로 올려서 반응이 좀 왔던 곡이라고 설명했다. 민희는 원식에게 미안하지만, 왜 아무도 그를 써주는 사람이 없는지 알 것 같았다. 계속 듣기에는 단조로웠고, 가사는 복잡했다. 무엇보다 귀에 꽂히는 매력이 없었다. 머리 위로 민희의 실망이 느껴졌다. 민희는 어쩔 수 없이 경란을 닮았다.

"어때?"

원식이 별거 아니라는 태도로, 하지만 기대는 숨길 수 없는 표정으로 물었다.

"좋아요. 저 이런 장르 좋아하거든요."

물론 거짓말이었다. 민희는 잠자코 볶음면을 몇 입 더 후루룩 먹었다. 원식도 앞에 놓인 오믈렛을 먹기 시작했다. 둘은 시답잖은 대화를 나눴다. 대화는 잘 통했다. 원식의 농담은 민희를 꽤 많이 웃겼다. 어느새 멀리서 들려오던 푸자 소리가 그쳤다. 저녁까지 후끈하게 땅을 달구던 바람이 시원해져 있었다. 민희는 빨갛게 물든 달을 보며 생각했다.

'그래, 음악을 못하는 뮤지션이면 어때, 하고 싶은 게 있어도 미뤄두기만 한 나보다 낫지.'

민희는 지금이라면, 늦게나마 자신의 복을 빌 수 있을 것 같았다. 살면서 이런 순간이 더 있게 해달라고, 지금 정도라면 나는 만족할 수 있을 것 같다고.

"2차 갈래?"

"어디로요?"

"이전 도시에서 좀 구해놓은 술이 내 방에 있거든. 밖에서 먹으면 걸리니까, 내 방에서 먹는 거, 어때?"

민희는 빨간 달을 다시 한번 바라보았다. 왠지 무슨 일이든 해도 될 것 같은 이상한 밤, 나쁘지 않은 느낌의 남자, 얇은 흰 박스티 아래로 드러나는 단단한 몸의 실루엣, 그것만으로도 충분했다. 민희는 작게 좋다고 했다. 그것을 신호로 원식은 제가 나서서 음식을 치웠고, 민희는 원식을 따라 아래로 내려갔다. 5층 모두를 게스트하우스로 쓰고 있는 건물은 계단도, 복도도 비좁았다. 발밑에서 나무가 삐걱거리며 원식과 민희가 함께 걸어가고 있다는 소식을 온 층에 알렸다. 원식이 자신이 묵고 있는 방문을 여는 그 순간, 민희는 꿈들이 떠올랐다. 문을 열었는데, 또 다른 복도가 있는 꿈들을. 민희는 그 기시감을 무시하고 구석에 놓인 침대 위에 앉았다. 한 달이나 묵었다더니 방은 완벽하게 원식의 것이 되어 있었다. 통기타가 문간에 서 있었고, 주황색 벽에는 원식이 나온 폴라로이드 사진이 붙어 있었다. 커다란 황색 배낭이 비스듬히 기댄 옷장에 원식의 것이 분명한 티셔츠 몇 장과 바지들이 걸려 있었다. 민희는 고개를 숙여 작은 냉장고에서 맥주를 꺼내는 원식의 뒷모습을 보면서, 이 방에서 벌거벗은 채 한 몸이 된 원식과 자신을 잠시 상상했다. 옆 건물이 가로막고 있어 하늘이 한 줌도 보이지 않는 방, 침침한 전구 아래, 원식의 체취가 가득한 이불 속에 묻힌 살색의 덩어리를. 그때, 원식이 뚜껑을 딴 술병을 들고 침대로 다가왔다.

"미안해요, 제가… 아니, 죄송해요."

"갑자기 왜?"

"저, 갈게요."

"왜요, 그러면 이것만 마시고 가요. 이거, 벌써 따 버렸어."

원식이 손에 든 차가운 술병에 빠르게 물이 맺히기 시작하고 있었다. 민희는 술병을 흘끗 보고는 고개를 돌렸다.

"아니에요. 갈게요."

원식이 민희의 손목을 붙잡았다. 원식의 눈길은 간절했지만 민희에게는 공포로 가 닿았다. 민희는 원식을 강하게 뿌리치고 삐걱거리는 복도로 나갔다. 원식은 더 이상 민희를 잡지 않았다. 뒤에서 민희에게 들리지 않게, 작게 중얼거릴 뿐이었다.

"에이, 초 쳤네."

민희는 어두운 밤길을 달려 자신의 게스트하우스로 돌아왔다. 빨간 달이 민희를 따라왔으나, 민희는 돌아보지 않았다. 민희가 원식에게 하지 못한 말은 이것이었다.

'당신의 낭만에 물들기 싫어요.'

민희는 아침 내내 깨어날 생각이 없었다. 나는 민희를 잠자코 기다렸다. 민희가 묵고 있는 방은 햇빛이 하나도 들지 않았다. 이곳은 아주 오래전에 지은 저택을 게스트하우스로 만든 곳이었다. 민희는 큰 방에 딸린 아주 작은 방, 아마도 하녀가 썼거나 창고로 쓰였을 법한 방을 가득 차지한 이층침대에 홀로 누워 있었다. 민희는 또 그 꿈을 꾸고 있었다. 알 수 없는 것을 향해 자꾸만 어그러지는 복도를 질주하는 꿈. 그러다 또다시 점심이 되어서야 눈을 떴다. 민희는 잠에서 깨자마자 여전히 꿈속의 복도인지 헤아렸다. 그러다 지금 자신의 위치를 좌표로 찍으면, 그 옛날 집에서도 아주 멀리, 외따로 떨어져 지도를 한참 옆으로 가야 있다는 것을 깨달았다. 온통 파란색이 칠해진 방 안은 밤새 틀어놓은 선풍기 소리만 날 뿐, 고요했다.

'그냥 그 사람과 밤을 보낼 걸 그랬나.'

민희는 옆으로 돌아누웠다. 나는 민희의 입가에 놓여 있었다. 민희가 속삭였다.

"일탈하는 것도 아니고, 나는 왜 여기에 있지?"

애초에 민희가 바라나시로 온 이유는 단순했다. 단지, 갠지스강 위로 떠오르는 해의 사진이 멋져서였다. 민희는 도망칠 곳이 필요했고, 그런 이유면 충분했다. 민희가 퇴사하겠다고 한 날, 경란은 민희를 무책임한 딸로 몰아붙였다. 너와 나, 우리 가족을 지키기로 하지 않았냐. 철없는 동생은 아직 학교에 다녀야 하니, 너랑 내가 벌기로 하지 않았냐. 소동 속에서 유철은 말없이 TV만 보고 있었다. 떠나는 날 경란은 민희를 배웅하지 않았다. 언제 돌아오냐고 묻지도 않았다. 경란은 말없이 캐셔로 일하는 마트로 출근했고, 유철은 테이블, 소파와 함께 정물처럼 찬 마루를 지키고 있었다. 동생인 민환은 학교에서 졸업작품을 준비해야 한다며 며칠째 들어오지 않고 있었다. 민희는 종종 민환을 보며, 자신이 너무 힘을 주고 살고 있나 생각했다. 민환은 알아서 적당히 취업을 잘할 수 있는 미디어 학과로 진학한 민희와 달리 부모님에게 떼를 써서 학원비를 받아내고 미대에 진학했다. 그것도 순수미술로. 졸업 후 1년은 친구들과 스튜디오를 차려 그림을 그려보겠다고 했다. 집안에 아무 도움은 되지 않았지만 자기가 쓸 만큼의 돈은 또 벌고 있어, 경란은 두 손 들고 그냥 두고 보는 눈치였다. 민희는 그 모든 걸 이제 견딜 수 없었다. 그래서 이곳 바라나시로 도망쳤다.

'이렇게 떠나올 수 있는 것도 젊음의 특권이라고 하겠지.'

민희는 항간에 떠도는 말을 혼자 작게 비웃었다. 민희는 신물이 났다. 스물일곱 밖에 되지 않아서, 나이가 어리고 경험이 없어서 당하는 것은 수도 없이 많았다. 민희는 원식이 손목을 낚아챘던 순간을 떠올리며, 무사히 빠져나온 것을 안도했다. 동시에, 괜히 나갔다가 마주칠까 무서웠다. 그래서 민희는 홀로 누워 핸드폰으로 SNS를 뒤적거리며 한동안 누워 있었다. 배에서 꼬르륵 소리가 날 때까지. 다시 어둑어둑해질 때가 돼서야 민희는 방 밖을 나섰다.

민희는 옆 테이블에서 식사하던 여행자에게 갠지스에서 꼭 배를 타보라는 조언을 듣고는 투어를 예약했다. 때가 되어 가트로 가자, 그곳에서 기다리고 있는 사람은 이제 잘 봐줘야 갓 성인이 되었을 법한, 앳된 청년이었다. 마른 체형이었지만 볼에 아직 젖살이 남아 있는 게 보였고, 어깨가 떡 벌어지지 않아 유약해 보였다. 민희는 청년의 나이를 가늠할 수 없어 아이가 모는 배를 타도 되나, 잠시 망설였다. 청년이 영문을 모르겠다는 표정으로 민희를 바라보았다. 민희는 이렇게 합리화하며 배에 올랐다.

'이제 와서 이 배를 타지 않겠다고 하면, 이 친구의 오늘 돈벌이는 없어지는 거겠지.'

모순이 가득한 강물 위를 배는 매끄럽게 흘러갔다. 청년은 조용한 뱃사공이었다. 가트에서 멀어질수록 소음은 줄어들었고, 믿기지 않을 정도의 고요가 찾아왔다. 배는 갠지스강 중간에 있는 모래섬에 멈췄다. 둘은 배에서 내려 말없이 나란히 서서 가트를 바라보았다. 먼저 말을 건 것은 민희였다.

"이 일을 한 지는 얼마나 됐어요?"

"노를 젓는 건 12살 때 배워서 6년 정도 됐는데, 돈벌이로 시작한 건 올해부터예요. 일 끝나고 시간 날 때나 주말마다 여기 와서 친구 아버지 일을 돕고 있어요. 돈을 모아야 하거든요."

민희가 청년을 바라보았다. 청년은 여전히 가트를 바라보고 있었다.

"배우가 되려고 하는데, 연기 학교에 등록할 돈이 필요해요."

"그렇구나."

"아버지는 제가 형처럼 대학에 가서 소프트웨어 엔지니어가 되기를 원하지만, 제 길은 아닌 것 같아서요. 저는 제가 하고 싶은 걸 하고 살 거예요."

민희는 배우를 하다가 지쳐서 쉬고 싶다던 마두를 생각했다. 뭐라 말하고 싶었지만, 시작도 하지 않은 청년의 꿈을 꺾을 필요는 없다는 생각에 입을 다물었다. 민희는 다시 고개를 돌려 청년과 함께 강 건너편 가트를 바라보았다. 사람들은 어디론가 분주히 가고 있었다. 그들이 가는 방향을 따라가다 보니 어제 본 푸자의 무대가 준비되고 있었다. 민희는 청년에게 말했다.

"잘 되길 빌게요."

청년이 아직 아이 같은 티를 벗지 못한 얼굴로 멋쩍게 웃었다. 나와 민희, 그리고 청년은 다시 더 한참을 조용히 강 건너를 바라보았다. 나 역시 생각이 많아졌다. 재선, 경란, 민희까지 삼대를 지켜보았으나 원하는 삶을 온전하게 가진 사람들은 아직 없었다. 예상치 못한 일들이 계속 생겨났고, 삶의 방향은 계속 수정되었다. 누군가의 목에 걸려 지켜보는 작은 세상만도 그랬다. 뒤늦게야 알게 되는 진실들도 많았다. 내가 말을 할 수 있었을지라도, 민희가 삶의 방향을 물어볼 때 나는 할 수 있는 말이 없었을 것이다. 민희 또한 지금 옆에 선 어린 청년처럼, 삶의 방향을 분명하게 알고 있다고 믿을 때도 있었다. 그래서 나는 민희의 침묵을 이해할 수 있었다. 조금 후에 청년이 손짓으로 떠나자는 신호를 보냈다. 우리는 천천히 다시 배에 올랐다. 청년은 다시 익숙하게 배를 몰았다. 청년은 시종일관 자신이 어디로 가야 할지 알고 있었다. 배가 검은 연기가 피어오르고 있는 화장터 멀리서 멈췄다. 청년이 낮은 목소리로 말했다.

"사진은 찍지 마세요."

민희는 핸드폰을 들 생각조차 하지 않고 있었다. 민희는 조용히 천으로 싸인 망자가 불길에 휩싸이는 모습을, 그리고 강가에 띄워지는 모습을 지켜보았다. 민희는 떠난 재선을 떠올렸다. 경란과 달리 민희는 외할머니인 재선을 좋아했다. 자신을 몰아붙이는 경란과 달리 재선은 민희에게 자애로웠고, 그 시절에 흔치 않게 대학까지 다녔던 경험이 있어 민희가 대학에 들어가고 나서는 둘 사이가 더욱 가까워졌다. 그래서 민희는 고민이 있을 때면 제 엄마인 경란보다, 재선에게 묻고는 했다. 어느 날 아침, 재선이 갑자기 사라졌다가 동네 목욕탕에서 심장이 멈춘 채 발견됐을 때, 민희는 정말 재선다운 마지막이라고 생각했다. 아침에 일어나 몸단장하는 것을 잊지 않던 재선은 생의 끝까지, 우아하고 깔끔한 여자였다.

화장장에서 민희는 많이 울었다. 민희가 의외라고 생각한 것은, 경란이 불길에 거의 몸을 던지려고 한 것이다. 재선의 살아생전 경란은 늘 재선을 미워하면서도 버거워했고, 재선은 항상 경란에게 미안해하는 관계였다. 그래서 민희는 경란의 모습이 조금 놀라웠다. 지금 눈앞에서 물속에 가라앉는 망자를 지켜보며 눈물을 훔치는 가족들의 모습에, 민희는 왠지 그때의 경란을 이해할 것 같았다. 경란은 항상 누군가를 지키느라 애쓰는 사람이었다. 민희도 이미 그것을 알고는 있었지만, 어김없이 자신에게 딸려 오는 기대에 숨 막혀 정작 경란은 외면하곤 했었다. 민희는 항상 재선에게 푸념하고, 함부로 하는 경란을 싫어했지만, 어쩌면 자신도 경란과 다를 바 없을지도 몰랐다. 민희는 그때의 찢기는 듯한 경란의 울음소리를 떠올리며, 조용히 망자의 명복을 빌었다.

배는 방향을 돌려 어둠이 내리는 화장터에서 밝은 빛이 가득한 푸자의 제단으로 향했다. 삶은 탄생에서 죽음으로 가는 법인데, 배는 정확히 거꾸로 가고 있었다. 뒤로는 어둠 속에 죽음이, 앞에는 밝은 빛 속에 살아 숨 쉬는 생명이 가득했다. 배는 이윽고 빛과 어둠의 경계에 가닿았지만, 민희는 왜인지 자꾸만 뒤를 돌아봤다.

'앞을 똑바로 봐.'

내 몸을 타고 어떤 목소리가 공명하며 울렸다. 오래전에 들어본 익숙한 목소리, 하지만 잔뜩 쉬어 누군지 기억나지 않았다. 민희는 목소리를 듣자마자 화들짝 놀라 주변을 둘러보았다. 하지만 푸자를 보려는 관광객을 태운 배들이 여기저기서 몰려들 뿐, 목소리의 정체는 알 수 없었다. 청년이 나이 지긋한 어른들이 모는 배 사이에서 당당하게 목소리를 높여가며 민희가 탄 배가 들어갈 만한 자리를 만들어냈다. 선미에 앉은 민희는 제 할 일을 다한 청년의 뒷모습에서 어떤 경외가 느껴졌다. 소라 나팔 소리가 의식의 시작을 알렸다. 민희는 이번에는 피하지 않고 의식을 지켜보았다. 의식이 끝나갈 즈음, 청년이 금잔화와 장미로 장식한 작은 소원초를 건네며 강에 띄울 것을 권했다. 민희는 잠시 고민하다, 초가 든 접시를 받아 들고 불을 붙였다. 초는 이내 작고 빨간 불을 피워 올렸다. 민희는 눈을 감고 소원을 빌었다.

'이 친구의 꿈이 이루어지게 해주세요.'

청년의 꿈을 담은 초는 점점 멀어져갔지만, 마침내 멀어져 보이지 않게 될 때까지 불이 꺼지지 않았다. 오늘 밤은 달이 뜨지 않았고, 그래서 지상의 빛이 더 환하게 타올랐다.

민희는 다시 아파트 복도를 걸어가고 있었다. 주위는 거의 진공 상태에 가깝게 조용했고, 앞이 어두워서 앞이 보이지 않을 정도였다. 하지만 민희는 홀린 듯이 복도를 걸어가 확신에 차서 어느 문을 열었다. 문을 열자, 빛으로 가득 찬 환한 방이 있었다. 그 방은 사면이 하얀 대리석으로 채워져 길게 뻗어 있었고, 중앙에 민희가 처음 보는 석상이 자리 잡고 있었다. 하지만 민희는 알 수 있었다. 언제나 민희가 잡으려고 노력했던, 형체를 알 수 없던 그것이었다. 석상은 사람의 반신상을 깎다가 만 형태였다. 머리와 어깨만이 있었고 그마저도 형태가 둥그스름할 뿐, 정확하게 잡혀 있지 않았다. 민희는 한 걸음, 한 걸음 조심스럽게 석상에 다가갔다. 민희는 석상 앞에 서서 오래전에 미대 입시를 준비하던 동생이 조소를 해보겠다고 가져와 만들던 얼굴을 떠올렸다. 그때 모델은 오래 앉아 있을 수 있는 할머니 재선이었다. 민희는 나를 제 목에서 풀어 그 석상에 걸었다. 석상 위에 놓이는 순간, 나는 잊고 있었던 느낌이 떠올랐다. 한때 나와 항상 함께했던… 그때, 말없이 서 있던 민희가 입을 열었다.

"할머니, 나 이제 알아서 할 수 있을 것 같아."

나는 이제야 그날 밤, 목소리의 정체를 기억해 냈다.

민희는 어둠 속에서 눈을 떴다. 시간을 확인하니, 새벽 5시 20분이었다. 민희는 얼른 몸을 일으켜 꺼내놓은 물건들을 제 몸만 한 배낭에 급하게 쑤셔 넣었다. 옷을 갈아입자마자 배낭을 둘러메고, 밖으로 뛰어나가 구불구불한 골목을 달리기 시작했다.

마침내, 희부연 하늘 아래 유유히 흐르는 갠지스가 보인다. 사람들이 이미 가트에 나와 어제와 같이 분주하게 기도를 올리고, 강에 몸을 담그고, 꽃을 팔고 있다. 그 위로 오늘의 해가 떠오르기 시작한다. 민희는 천천히 돌계단 한쪽의 높은 축대 위에 올라, 해가 뜨는 갠지스를 마주 보고 섰다. 해가 붉게, 붉게 떠올라 서서히, 하지만 분명하게 세상을 비춘다. 민희는 해의 싯누런 빛을 온몸으로 받아냈다. 그리고 해가 높이 떠올라 그 열기가 느껴지지 않을 때까지, 등에 멘 가방의 무게를 기꺼이 견디며 그 자리에 머물렀다.

03

블러디 오가닉 가든

백종혁

소설

백종혁

고향은 가을. 날로 짧아지는 가을이 언제나 그립다.
옆자리에서 오가는 대화를 좋아한다. 대화는 이어폰과 스크린으로 숨어버렸지만, 여전히 대화를 담는 심마니의 역할을 자처한다. 자주 비어있는 주머니로 집에 돌아가지만.
파편일지라도 진실이 담긴 글을 쓰는 날이 오길 희망한다.

블러디 오가닉 가든

*25일 AM06:20

평소보다 가벼워진 자루를 들고 정민은 마지막 계단을 올랐다. 이른 새벽에 수확한 블러디프 꽃잎을 필현에게 전달하는 건 오랜 아침 일과였다. 꽃잎을 수확하는 건 해뜨기 한 시간 전이었다. 블러디프 약제는 그날 새벽 수확한 꽃잎으로만 제조할 수 있었다. 어떤 질병이든 치료해 준다는 꽃이었다. 정민이 믿어온 대로라면 말이다. 능숙한 손길이 필요한 작업으로, 가든에서 평생을 보낸 정민보다 제조에 적격인 사람은 없었다. 정민은 전 관리자의 아들이자 필현이 아직 인간이었던 시절부터 친구로 지낸, 믿을 수 있는 사람이었으니까. 필현이 아직 인간이던 시절, 둘은 막역한 사이였다. 그러나 필현이 빠른 속도로 변한 어느 시기 이후, 정민은 필현을 마주할 때면 자신도 모르게 심호흡을 하고 마른침을 삼키곤 했다.

어느새 마지막 계단에 오른 정민은 평소의 절반도 되지 않는 자루가 무겁게 느껴졌다.

똑똑,

사람이라면 마땅히 갖추고 있을 가구라 할 것 없이 텅 비어 있는 매끈한 건물에 노크 소리가 울려 퍼졌다. 백 년은 족히 되어 보이는 문이 신음하며 열렸다. 외모는 학창 시절에 그대로 머물러 있었지만, 그 영혼이 십수 년은 족히 늙어버린, 푸릇한 젊음과 늙음이 공존하는 얼굴이 나타났다. 핏기라고는 찾아볼 수 없는 밀랍 인형 같은 필현이 문고리를 잡고 들어오라며 손짓했다. 정민은 마치 오래도록 모셔 온 군주에게 고개 숙이듯 그의 눈을 슬쩍 올려보며 고개를 무겁게 끄덕였다.

필현은 늘 그렇듯 꽃잎이 담긴 자루에 손을 뻗었으나 자루를 건네주어야 할 정민은 자루에서 손을 놓지 않았다. 키가 크고 마른 필현은 의아하다는 듯 고개 숙여 정민의 표정을 살폈다. 정민은 천재지변을 마주하기라도 한 양 흔들리는 눈동자로 꽉 다문 입술을 씰룩거렸다. 필현은 정민의 눈이 뚫어져라 바라보며 한 발 더 다가섰다. 정민은 마침내 입을 열었다.

-블러디프 꽃밭, 꽃이 시들었어.

-얼마나 시들었는데?

필현이 말을 마치기 전 정민이 대답했다.

-삼 분의 일.

필현의 호흡이 멎었고, 동공이 흔들렸다.

-삼 분의 일? 그렇게 많이 왜?

-왜인지는 아직…

정민은 난처한 듯 얼버무리다 계속했다.

-물, 온도, 습도 다 그대로인데, 알아봐야 돼.

-누군가 침입한 걸까?

-…

정민은 어찌 알겠냐는 듯 허망하게 손과 어깨를 으쓱해 보였다. 필현의 눈에 맺힌 실핏줄이 터질 듯 붉어졌다. 정민은 자신과는 엄연히 다른 종 앞에 있다는 걸 실감했다. 몸이 약간 움츠러들었다. 당황한 필현만큼 정민도 당황스러웠다. 하루아침에 꽃이 시들다니. 하고많은 꽃 중 하필 블러디프만 골라서?

-뭐라도 짐작 가는 거 없어?

필현이 물었다.

-관리 조장들 불러서 알아봐야지.

정민은 필현이 눈으로 자신을 할퀴는 것 같아 시선을 피했다. '우리 가족이 얼마나 가든에 헌신했는데' 정민은 생각했다. 결국 아버지는 죽었다.

-빵을 봤어, 블러디프 밭에서.

창밖을 내다보던 필현이 뜸 들이며 말했다. 말하기 위해서 녹슨 기어를 바꾸기라도 하듯이.

-빵? 빵이라고?

평소 무던하던 정민이 발끈했다.

-새벽에 블러디프 밭 근처에서 빵을 발견했어. 두 번이나.

-빵은 무슨 빵이야, 여기 빵이 왜, 어떻게 있어.

-학교 다닐 때 네가 나한테 줬던 빵. 그 빵이랑 같은 거였어.

정민은 얼음처럼 굳었다. 생각에 잠김과 동시에 온몸에 소름이 끼쳤다.

그때 그 빵. 정민은 기억을 더듬어 생각해 냈다.

'학교에서 곤죽이 되도록 얻어맞은 친구가 안 되어 보여 건넸던 빵, 훗날 뜬금없이 입에서 송곳니가 자라기 시작한다는 걸 알았다면, 그렇게 필현을 폭행한 녀석들이 한 명도 빠짐없이 실종된다는 것을 그때 알았다면 빵을 건네지도, 더 엮이지도 않았을 테고, 형제처럼 지내지도 않았겠지.'

-휘낭시에.

필현은 빵 이름을 덧붙였다.

-그래 휘낭시에, 나도 알아. 그 빵 얘기는 갑자기 왜 하는데.

-블러디프가 시들었고, 가든 안에 없어야 할 빵이 발견됐다고.

'블'이라는 발음에서 화염이라도 뻗치듯 날것의 소리가 났다. 화가 솟구치자, 일순간 필현의 눈빛은 살기로 가득 찼다. 도드라진 송곳니가 더욱 예리하게 드러났다. 필현은 뒤돌아 분을 삭였다. 부끄러움이 몰려왔다. 오랜 친구에게 괴물의 모습을 보이고 싶지 않았다.

-그래서 뭐, 의심하는 거야? 나를?

필현은 뭔지 모를 감정이 솟구치는 것을 느끼며 뒤로 물러섰다. 정민의 날카로운 말과 표정에 말문이 턱 막혔다. 필현은 혼자만의 생각 속으로 파고들었다.

'그렇지, 그 빵이 내게 어떤 의미였는지 너는 알 수 없겠지.'

-의심은 무슨. 어떻게 의심하겠어. 순찰하는 가드 늘리고 철조망 확인해줘.

필현은 침착하게, 그러나 흥분으로 인한 떨림과 알 수 없는 굴욕감이 묻어나는 소리로 말했다. 그럴 수밖에 없었다. 정민까지 잃는다면 필현에게 아무도 없을 테니까. 정민의 얼음처럼 딱딱한 말에 어떤 반응도 할 수 없었다. 두려움을 느낀 스스로가 당황스러웠다.

-정문 앞에 시위 때문에? 하루 이틀도 아닌데.

정민은 구겨진 표정으로 답했다. 블러디프가 시들었다는데 가드를 늘리라니.

-이번엔 이상해. 나는 밤에 살펴볼 테니까, 블러디프는 네가 좀 봐줘.

정민은 한숨을 쉬며 고개를 끄덕이고는 방을 나갔다. 늙은 문이 고통스러운 듯이 닫혔다. 다시 적막이 내려앉았다.

필현은 손가락으로 입술을 만지듯 송곳니를 어루만졌다. 제거해버리고 싶었다. 그럴 수만 있다면 산산조각 부숴버리고 싶었다. 불시에 송곳니가 자라난 이후 학교를 떠나야만 했고 어두운 집 안에 스스로를 가둬야만 했으니까. 햇빛을 피하고자, 이전의 자신을 알고 있는 사람을 피하고자 낮과 밤을 교환해야 했으니까. 시간이 뒤바뀐다는 건 살아가는 우주가 달라지는 것이었다. 그 우주에는 필현 뿐이었다.

*23일 06:19

나현이 숙소 밖으로 나온 건 사흘 만이었다. 가든 거주를 위한 절차를 통과하기 위해선 온갖 검사를 통과해야만 했다. 불과 며칠 치료를 받았을 뿐인데 공기의 무게가 달라졌다. 새롭게 태어난 기분이었다. 십 대 이후 늘 머리 안을 떠다니던 먹구름이 온데간데없이 사라졌고, 사흘 만에 나선 바깥은 어둠 속에서도 생명의 냄새로 반짝였다. 식용 작물을 재배하는 1, 2구역 옆을 따라 걸었다. 근처에 뭐가 있는지 분별하지도 못한 채 더듬더듬 향기를 좇았다. 강렬한 향기였다. 길 끝자락에는 선인장을 재배하는 3구역이 있었다.

꽃이 송송 맺힌, 낯설게 생긴 선인장이었다. 꽃, 선인장에 피어있는 붉은 꽃은 블러디프라 했다. 윤기가 흐르는 블러디프는 홀로 조명이라도 받은 양 눈에 띄었다. 짐승의 사타구니에서 날 법한 고릿한 냄새와 달큰한 향이 섞인 묘한 냄새가 공기에 떠다니고 있었다. 꽃의 아름다움 때문인지, 어딘지 기이하게 느껴지는 향과 생김새 때문인지 시선을 거둘 수 없었다. 홀린 듯 꽃봉오리에 손을 가져갔고 손이 닿자, 꽃봉오리가 톡 떨어졌다. 달큰한 향 그리고 짐승의 분뇨 같은 퀴퀴한 향이 훅 피어올랐다. 숨이 턱 막히는 불쾌한 향이었다. 구역질이 치밀었다. 잽싸게 고개를 돌리자, 냄새와 함께 소란스러운 소리가 몰려왔다.

-나현이 풀어줘, 이 사이비 새끼들아

 가든 밖에서 들려오는 소리였다. 멀찍이 들리는 상스러운 소리에는 익숙한 목소리가 섞여 있었다. 나현은 한숨 쉬며 머리를 쓸어 넘겼고, 무언가를 애써 부정하듯 도리질했다.

 대번에 느껴지는 너저분하고 우악스러운 목소리. 대식이었다. 꽃에 넋이 나가 미처 듣지 못했다. 소란은 정문에서 벌어지고 있었다. 나현이 가든에 들어오기 전 얼떨결에 만나버린 남자. 삶의 중심을 잃었을 때 잠시 기대려 했건만 정신을 차려보니 강하게 밀착되어 있었던 그는 나현이 수없이 많은 병원에서 치료받았음에도 효과가 없었던 것을 알고 있었다. 최후의 선택이 오가닉 가든이었다는 걸 알았음에도 나현을 보내려 하지 않았다. 소유욕이 강하다는 건 알았지만 자신까지 소유하려 들 줄은 몰랐다. 대식이 자신을 감금하려 했다는 걸 알았을 때, 나현은 비로소 떠나올 수 있었다. 어떠한 말도 없이. 대식은 절대 반지를 빼앗긴 억울한 괴물처럼 나현을 놓아주라며 소란을 피워댔다. 마치 납치라도 당한 것처럼. 가든 수용 인원은 이미 초과 상태였고, 나현은 구걸하듯 애원해 검사를 받고 가든에 들어올 수 있었다.

대식의 소리를 들었을 뿐인데 숨이 막혀왔다. '너부터 날 좀 놓아줘야 할 텐데' 소음이 들려오는 방향으로 한숨을 내뱉었다. 하늘을 올려다보니 동이 트고 있었다. 탑 꼭대기 유리창에 사람 같은 형체가 비쳤다. 탑에 살고 있는 가든의 주인, 필현일 것이다. 탑 내부를 정확히 볼 수는 없었지만, 침울한 표정의 필현이 있을 것 같았다. 나현의 약물 적응 경과를 지켜보던 지난 며칠간 필현은 늘 그랬다. 소중한 게 빠져나간 듯 퀭한 눈과 당장이라도 갈라질 것 같은 목소리로 보아 알 수 있었다.

탑 꼭대기를 바라보던 나현의 눈이 휘둥그레졌다. 무언가 다가오고 있었다. 블러디프 꽃밭 안쪽에서부터 저벅저벅 소리가 들렸고, 가까워지고 있었다. 나현은 긴장으로 얼어붙어 움직일 수 없었다. 사람 발소리였다. 몸뚱이를 가려줄 것 하나 없는 땅바닥에 숨죽여 엎드렸다. '제발 그냥 지나가라' 일정한 리듬으로 들려오던 소리는 갑작스레 중단된 음악처럼 일순간 멎었고, 긴 정적이 흘렀다. 바람에 흔들리던 잎사귀조차 침묵했다. 이쯤 되면 누구도 없겠지 싶어 고개 들어 주변을 살피려던 찰나였다.

-나현님. 치료 끝난 건 알고 있는데, 여기서 뭐 해요? 이 시간부터 나와 있는 거예요?

검사할 때도 있었던 가든의 관리자, 정민이었다. 자로 잰 것 같은 딱딱한 목소리.

소리의 방향을 등지고 있었지만, 자신을 추궁하는 시선을 느낄 수 있었다. 자신의 경솔함에 대한 죄책감 조금과 커다란 민망함이 몰려왔다. 나현은 마치 스트레칭이라도 한 것처럼 즉각 몸을 일으켜 흙을 털며 말했다. 오히려 규율을 어기고 있는 정민을 걱정하듯.

-아직 해가 다 안 떴어요. 이 시간에 돌아다녀도 되는 건가요?
-하하, 저는 늘 새벽에 나와요. 블러디프 수확 때문에요. 아직 해가 다 뜨기 전에는 숙소에 있는 게 좋습니다, 위험할 수 있으니까.

위험할 수 있다고 말하는 정민의 눈이 예리하게 빛나고 있었다.
-나현님, 규율은 심심풀이로 있는 게 아니에요. 어디 다쳤어요?
정민의 시선이 붕대를 감은 나현의 종아리에 머물렀다.

-며칠 너무 답답해서, 들어오기 전에 다친 거 말고는 없어요. 주의할게요.

-그래요, 조심하십시오.

정민은 탑을 향해 걸음을 옮겼다.

'뭐가 위험하다는 거지.'

묘하게 감시받는 듯한 기분이 불편했다. 자신도 모를 새 숨이 가빠왔고, 볼이 달아올랐다. '뭐, 텃세라도 부리겠다는 건지, 걱정이라도 하는 건지'

멀어져가는 정민의 뒷모습을 바라보다 나현은 저 멀리 수풀이 움직이는 것을 발견했다. '아직 해가 안 떴는데' 아침 공기가 서늘했다. 나현은 가디건을 추켜 입었고 방으로 향하는 발걸음을 재촉했다.

첫째는 외부 음식 절대 반입 금지. 둘째는 해가 뜨지 않았을 때 야외 활동 금지. 어느 정도의 규율은 당연하다고 생각했다. 병을 치료하기 위해 모인 곳이었으니까. 그러나 그 뉘앙스가 자신이 생각하던 것과는 미묘하게 엇나간 듯 이상했다.

* 24일 02:17

필현은 평생토록 잠에 든 적이 없는 기분으로 눈을 떴다. 눈만 감았다 깨어나는 잠에 든 지도 16년이 흘렀다. 메마른 눈을 비비적거렸고 이미 익숙한 고통이 따라왔다. 낮 동안 활기가 넘쳐나던 가든에는 무거운 적막이 도사리고 있었다. 항상 어둠 속에서만 활동하던 어머니와 같아진 것이다. 어머니의 마지막 모습이 떠오르자, 미간이 찡그려졌다. 필현의 어머니는 늘 의심의 눈초리를 받았다. 사람에게도 그들에게도. 그믐달이 뜨던 어느 새벽, 어머니는 동족의 습격을 받았다. 이미 죽은 몸이나 다름없었기에 출산이란 있을 수 없는 일이었고, 매우 불길한 징조라는 소문이 떠돌던 참이었다. 그날, 어머니는 마을 광장에서 온몸이 묶인 채 깨어났다. 여느 아침이 그렇듯 해는 떠올랐고, 어머니의 몸에서 연기가 피어오르기 시작했다. 해가 머리 위 정 가운데에 위치할 즈음, 어머니가 묶여있던 자리에는 회백색 재만 흩날리고 있었다. 필현은 아직 여섯 살이었고, 바닥에서 흩날리다 날아오르는 잿가루에서 자신을 바라보는 어머니의 눈빛을 느낀 것도 같았다. 확신이라 할 만큼 분명한 감각으로.

필현이 어머니를 떠올리며 발걸음을 옮기던 중 무언가가 발에 닿았다. 농장의 특수 약용 식물인 블러디프가 재배되는 3구역 앞이었다. 발에 치인 덩어리는 무구하게 부드러웠고, 소리조차 내지 않고 바닥을 뒹굴다 픽, 널브러졌다. 흡, 필현은 소스라치게 놀라며 두 팔로 몸을 감쌌다. 햇빛에 불살라진 어머니가 떠올랐고, 그만의 한가롭고 컴컴한 아침 산책 공기는 싸늘하게 얼어붙었다. 숨을 옥죄는 듯 밀도 높은 적막이 이어졌다. 필현은 몸을 웅크렸다. 활시위를 당기듯 팽팽한 긴장이 이어졌다. 휘둥그레한 눈으로 사방을 살폈지만, 거기엔 어떤 악한도, 위협이 될 만한 동물도, 그 어떤 존재도 없었다. 블러디프 밭에 한가로운 자태로 누운 뽀얀 덩어리가 있을 뿐이었다.

또…

또다시 빵이었다. 긴장이 풀려서인지, 뒤늦은 금기의 냄새가 콧속을 파고들었다.

끄으으… 필현이 작게 신음하며 몸을 웅크렸다. 아몬드를 구운 듯한 참을 수 없이 고소한 냄새였다. 인간의 음식에는 좀체 손을 대지 않으며, 인간의 피 만으로 생명을 이어가는 뱀파이어에게는 잔인하리만치 그리운 냄새였다. 음식 냄새가 풍기는 시간에 깨어 있지도 않거니와 지난 16년간 인간과 함께 무언가를 먹을 일 또한 거의 없다시피 했다. 애초에 맛을 본 적이 없었더라면…

필현이 쭈그려 울상 짓고 있을 때, 정민은 조용히 다가와 아몬드 휘낭시에를 건넸다. 필현이 발작하듯 격분한 이유를 이해할 수 있는 사람은 단 한 명뿐이었다. 날 때부터 가든 안에서 자라 필현의 부모를 알고 있는 정민 뿐이었다. 정민과 함께한 시간과 유대가 아니었다면 필현을 이해하는 사람은 어디에도 없었다. 휘낭시에는 위로를 건네듯 몸 안쪽에서부터 필현을 감싸안았다. 필현이 어떤 종류의 안도감이라는 걸 처음 느낀 날이었다. 그날부터 필현에게 아몬드 휘낭시에는 연중행사처럼 즐기는 진귀한 소울푸드였다. 자신이 뱀파이어가 되리라고는 생각조차 하지 못했다. 반은 인간 반은 뱀파이어가 될 거라고는 더더욱.

가을 새벽의 서늘한 바람이 일었다. 길바닥에 놓인 빵이 풍기는 냄새는 학교 앞 빵집에서 사 먹던 아몬드 휘낭시에와 정확히 같은 냄새였다. 뱀파이어는 인간의 음식을 섭취하면 온몸이 고통에 뒤틀리곤 했다. 이미 말라붙어버린 장기에 음식물이 지나가는 건 상당한 고통을 수반하는 일이었으므로. 몸이 다 성장하기 전의 필현은 인간으로 살았고, 인간 음식의 맛을 지독히도 정확하게 기억했다. 입안에 베어 문 빵이 어떤 질감으로 조각나고 녹아 삼켜지는지, 버터의 향과 맛 같은 것들이 고압 전류에 닿기라도 한 듯 짜릿하게 피어올랐다. 음식 한두 입 먹는 것쯤이야 괜찮았다. 필현은 어디까지나 반쪽짜리 인간, 반쪽짜리 뱀파이어였으니까. 뱀파이어 어머니와 인간 아버지 사이에서 태어난 필현은 전에 없었던 잡종이었으니까. 깨끗한 피를 얻기 위해 가든 외부 음식을 통제하는 것 또한 필현이었고, 인간 음식을 탐내지 않기 위해 매 순간 스스로를 달래고 협박해야 하는 것 또한 필현 자신이었다. 다른 뱀파이어였다면 그럴 필요 따위 없었을 것이다. 한 입만 먹어도 게거품을 물며 발작할 테니까.

돌연변이…. 인간이라는 토양 위에 뜬금없이 피어난 돌연변이. 필현은 빵을 노려보며 생각했다. 가든 안에 빵이 있어야 할 이유도, 필요도 없다. 외부 음식을 반입한 자는 추방이고, 추방은 죽음이나 마찬가지인데. 도대체 어떻게.

벌써 두 번째였다. 누군가 농장에 빵을 반입하고 있었다. 외부 음식을 반입하거나 먹다가 발각되기라도 하면 추방은 물론 두 번 다시 농장에 발을 들일 수 없었다. 농장에 거주하는 모두가 알고 있는 규칙을 감히 어길 수 있는 건 대체 누구일까. 가든 시스템과 모두를 위협하는 무언가를 막아야만 한다. 필현은 조심스레 빵을 집어 들어 그리운 냄새를 맡았고, 아주 소중한 것을 다루듯 천천히 쓰다듬었다. 그리고 으스러트렸다. 산책 겸 순찰을 이어 나가는 발걸음이 무거웠다.

정민의 부모는 난치병으로 고생하던 끝에 가든을 찾아 입소했다. 가든 안에서 태어난 정민의 유년 시절은 필현의 가족과 함께한 기억으로 가득했다. 필현의 부모가 마련한 가든 덕에 살아갈 수 있었다. 가든은 정민의 집이었고 추억이자 시절, 삶의 밑바탕이었다. 자신을 품어준 곳을 유지해야 한다는 책임감과 결속감마저 느끼던 시절이었다. 가든을 유지하기 위해, 자기 부모를 지켜내기 위해 밖으로 향하고자 하는 시선을 거둬들인 지 오래였다.

"이다음엔 저도 깜깜한 밤에 밖에 나가서 일할 거예요." 달빛 비친 창문 아래서 나갈 준비를 하던 아버지가 정민을 돌아봤다. 달빛을 등지고 있어서인지 아버지의 미소는 그늘지고 어두워 보였다. "그래, 정민이 다 크면. 그때도 여기에 있을까?" "네! 친구도 엄마 아빠도 여기 다 있잖아요." 정민이 대답했다. 눈이 반짝였고, 가슴 밑에서부터 솟구치는 단단한 소리였다.

아버지는 옅게 미소 지으며 허리 정도에 오는 정민의 머리를 쓰다듬었다. "자라면 이것도 정민이 줄게. 모두를 지키기 위한 거야" 정민의 아버지는 자신의 종아리에 찬 각반을 고정하며 말했다. 정민의 머리를 쓰다듬고는 시계추가 움직이는 것처럼 기계적으로 신발과 옷매무새를 다잡은 뒤 문밖을 나섰다. 기억 속 아버지가 있던 장면에 자신이 들어와 있는 듯했다. 여기저기 긁혀 상처 난 아버지의 각반은 이제 정민의 종아리에 있다. 블러디프는 꽃의 밑단 뿌리에서 굵은 가시덩굴이 함께 피어난다. 덩굴은 어두운 함밤중에만 땅 위로 올라오기 때문에 찔리기 십상이었다. 가시에 찔리면 블러디프에 피가 닿게 되고, 사람의 피와 접촉한 블러디프는 시들어버리곤 했다. 드물게 일어나는 일이었지만.

아버지로부터 가든의 모든 관리법을 전수 받은 삼 일 뒤 아버지가 죽었다. 완치됐다고 여겼던 자가면역질환, NBW(Nerve Bacterium Wither) 의 급성 재발로 인한 호흡 곤란이 사망 원인이었다.

잠잠하던 의심이 고개를 들어 올린 건 아버지가 죽은 후부터였다. 정민의 두 손은 언제나 공동체를 향해 뻗쳐 있었다. 그러나 언젠가부터 한 손을 등 뒤에 숨기기 시작했다. 한 손은 의심과 분노 사이를 더듬거리고 있었다. 친구들까지는 애써 외면할 수 있었지만, 아버지의 죽음은 이야기가 달랐다.

의문을 좇지 않고 체념에 축 처져버렸던 자신에 화가 났다. 매일 반복되는 혈액 검사와 강압적인 규율들. 의문이 피어날 수밖에 없는 가든에서 자연스레 체득한 자신과 가족을 지키는 방식이었다. 일단 모두가 살아야 했으니까. 그러나 아버지의 죽음 앞에서 정민의 오래된 믿음은 중력을 잃고 있었다.

-어차피,

비틀거리는 정민은 술에 취해 중얼거렸다.

-뭐라고? 어차피?

필현은 정민을 깊숙이 바라보았다. 마침내 오랜 금기를 벗어나 짧은 자유를 맛보고 온 친구가 얄밉기도 안타깝기도 한 듯.

-다아 가축이나 마찬가지잖아, 너한테에.

살을 에는 듯한 정적이 흘렀다. 핏기 없는 필현의 얼굴은 한층 더 창백해졌고, 주변의 공기는 싸늘하게 식었다. 기억의 파편을 조각해 만들어낸 일이라고 믿고 싶었지만, 그 서늘함은 생생했다.

블랙아웃 됐던 정민은 기억의 파편을 더듬었다. 좀처럼 완전한 그림이 맞춰지지 않았다. 기억을 묻고자 술자리를 함께했던 친구들에게 연락을 해보아도 연락이 닿지 않았다. 파편은 연결되지 않았다. 필현과 서먹해진 것은 그때부터였다. 직접 물을 수도 없었다. 차마 입이 떨어지지 않았다. 그토록 묻고 싶은 게 사실일까 두려웠다. 정민은 오래된 행동이 이끄는 관성대로 가든에서의 일과를 수행했지만 내면 깊은 곳에 고여있는 잔잔한 저항감을 느꼈다. 완치되었다고 믿었던 아버지의 죽음과 친구들의 오랜 실종은 소리 없이 웅덩이를 키우고 있었다.

* 26일 11:42

탑 꼭대기에 위치한 필현의 방은 원형 구조였다. 방을 빙 두른 작은 창문들이 길쭉하게 이어져 가든의 거의 모든 곳을 조망할 수 있었다. 창문은 안에서 밖을 투시하는 이중 유리창 구조로, 코팅이 되어 있어 늘 어느 정도의 어둠이 유지됐다. 자외선이 통하지 않아 필현에게 안전했지만 빛의 흔적마저 불편한지 가자미눈을 뜬 채 밖을 바라보곤 했다. 필현은 창 밖의 나현을 바라보곤 했다. 가든 안의 모든 사람이 그렇듯 나현 또한 현대의학으로 치료할 수 없는 병과 함께 가든 공동체에 들어왔다. 그때 나현은 자신의 생명을 지켜내야 한다는 생각에 짓눌려 있었다. 그 말투를, 표정을 보면 알 수 있었다. 무언가에 짓눌린 사람들이 공유하는 억양과 움직임을 필현은 잘 알고 있었다.

나현이 1, 2 구역에서 수확한 야채들을 옮기고 있었다. 나현의 상태는 공동체 안에서 빠르게 호전되는 중이었다. 나현의 행동거지에는 점차 활기가 드러났고 말끝에는 다채로운 음계가 배어 나왔다. 나현에게는 시선을 잡아끄는 힘이 있었다. 그가 의도한 것이 아니라 그저 나현의 세포 속 무언가 형형히 빛을 발하는 듯. 나현을 보고 있노라면 이미 말라붙은 혈관이 살아나는 듯했다. 필현에게 그 감각은 당황스러우리만치 그리운 것이었다. 물론 느낌일 뿐 혈관은 말라붙은 지 오래였지만. 나현이 가든에 들어온 지 불과 며칠 만에 가든 안의 모든 것들도 얼마간 활기를 띠었다. 필현은 이미 오래전에 놓아버린 삶에 대한 욕구가 피어나는 걸 느꼈다. 욕구와 함께 두려움이 필현을 좇았다. 텅 비어 있는 공간에 둔탁한 소리가 울려퍼졌다. 누군가 거세게 문을 두드리고 있었다. 문 밖엔 정민이 있었다. 정민은 의아한 표정으로 말했다.

-창밖에서 그림자가 보이길래, 이 시간에.

이중 코팅이 되어있는 창이었고, 다른 뱀파이어와 달리 반쪽짜리 뱀파이어인 필현은 잠깐 정도야 햇빛에 노출되어도 이상 없었지만 빛 앞에 서기를 꺼렸다.

-감시하는 거야?

필현이 신경질적으로 물었고, 정민은 말을 잃은 듯 필현을 바라봤다.

-그만 해. 그때 걔네 둘, 나 아니야. 우리나라에 나밖에 없는 것도 아니고, 뱀파이어가.

-알았어.

-나 아니라고. 아무리 걔넬 싫어한다 해도.

-알았다니까. 나현님이 쳐다보고 있길래 봤어. 됐어?

영문을 모를 일이었다. 알 수 없는 안도감이 필현을 감쌌다.

'의심은 이제 끝인 건가. 그런데 나현은...'

정민이 앞서 계단을 내려갔다. 필현도 뒤를 따랐다. 필현은 경전을 암송하듯 되뇌었다. 괜찮을거야 블러디프도, 수 년만에 강렬한 햇빛을 받는 것도 다 괜찮기를. 나현도.

문을 열어 밖으로 나서자 강한 빛이 필현의 시야를 일순 마비시켰다. 얼떨결에 필현은 정민의 어깨를 움켜잡았다. 정민은 필현의 손이 닿자 잠시 몸이 굳었지만 자신에게 손을 뻗은 친구가 내심 반가웠다.

블러디프 밭을 향해 나아갔다. 웅성거리는 소리가 들려왔다.

옥수수와 고구마, 브로컬리 등 각종 작물을 수확해 나르는 사람들이 숙소를 향하고 있었다. 땀에 젖은 2구역 관리조장 김씨는 정민을 급히 찾고 있었다.

"관리, 관리인님, 정민님! 3구역에, 3구역에" 김씨는 너무 흥분해 한마디 말을 하기도 버거워 보였다. 정민은 급히 달렸다. 아직 어깨를 잡고 있던 필현도 따라 달렸다.

지나가며 사람들이 수근대는 소리가 어렴풋이 들려왔다.

"그 소란 피우는 놈, 그놈이 남자친구였다며!"

"어쩐지, 처음부터 인상이 쎄 하더라고."

"언제든 이럴 줄 알았어, 퍼뜩 쫓아버려야지!"

그들 모두는 나현에 대해서 수군거리고 헐뜯고 있었다. 그러다가도 필현과 눈이 마주치면 마주해서는 안 될 것과 마주하기라도 한 듯이 옆 사람을 힐끔거리며 목소리를 낮췄다. 낮에 필현을 마주하는 건 결코 흔하지 않은 일이었다. 나현을 향하던 수군거림은 누워있는 갈대의 방향이 바뀌듯 슬며시 필현 쪽으로 옮겨왔다.

어느새 모두들 웅성웅성거리고 있었다. 가든이 생긴 이래 처음 있는 요란한 수군거림이었다. 정민은 달렸고, 필현도 그저 달렸다. 무슨 일인지 알지 못했다. 분명하게 느껴지는 불길한 예감만이 머리를 뱅뱅 돌고 있었고, 그건 나현과 관련된 일일 것이었다.

*26일 22:49

-76개. 이제 삼 일 치밖에 남지 않았어. 되살릴 수 없겠지?

조명 바로 아래 앉아 여분의 약을 세던 필현이 긴 한숨과 함께 말했다.

-지금껏 블러디프가 완전히 시든 적도 없었고, 알 수 없어.

소파에 반쯤 기대어 앉은 정민은 속이 텅 비어버린 공허한 소리로 답했다.

필현은 허탈한 듯 웃었다. 기이하리만치 길게 이어졌다.

-실성한 거냐.

-송곳니가 자란 후로, 사람들을 피해 다닌 후로 단 한 번도 원하는 대로 살지 못했어. 그렇게 지지부진하게만 살았는데, 이제 끝나겠네.

정민은 그저 듣고 있었다. 좋다는 것인지 슬프다는 건지, 억울하다는 건지 알 수 없는 말이었다. 그러나 왜인지 필현의 말이 자신에게서 나온 말처럼 느껴졌다.

-필현아. 내 아버지, 병이 재발해서 돌아가셨다. 완치된 줄 알았었는데.

-그게 무슨 말이야, 약은, 약 드셨잖아?

-드셨지.

정민의 아버지는 완치 판정을 받은 뒤로도 십여 년간 약을 먹었다고 했다. 십 년이 넘게 시간이 흐른 즈음 가든의 관리자였던 정민의 아버지는 간혹 가든 바깥에서 식사하고 가든에 들어오곤 했다고. 그 빈도가 점점 늘었고, 불시에 쓰러지는 일이 빈번히 발생했다. 여전히 약은 그대로 먹고 있었다고.

-필현아, 이게 무슨 의미일 거 같냐,

정민은 골똘한 눈빛으로 필현에게 물었다.

뜬금없는 이야기와 질문을 받은 필현은 덩달아 골똘한 표정으로 답을 골랐지만, 갈피를 잡을 수 없었다.

-너희 부모님이 마련해 주신 건 약이 아니라 농장은 아니었을까.

-그래, 농장이 있으니까 블러디프도 키우고, 약을…. 그러니까, 블러디프가 정말 기적의 꽃일까.

-무슨 말을 하는 거야.

-애초에 블러디프가 거짓이라면?

필현은 말을 잃은 채 정민을 이리저리 훑었다. 제정신이 아닌 사람이라기엔 정민은 지나치게 이성적이었다.

-그럼, 지금까지 내 몸은, 왜 좋아진 건데요.

블러디프 가시에 찔려 과다 출혈로 정신을 잃고 누워있던 나현이 말했다. 정민과 필현은 소스라치게 놀라 어리둥절한 표정으로 나현을 바라봤다.

-소문이 진짜네, 약효가 좋다고 생각했는데. 나 그러면 왜 좋아진 거예요, 무슨 짓을 해도 소용없던 증상들이 사라졌잖아.

-약이 효과가 없다면 우리 공동체는, 나는 이제 끝난 건가.

-상관없어. 피 검사도 약 제조도 그대로 이어가면 돼. 블러디프 잎이 아니라 뿌리에서 채취한 성분으로 약을 제조한다고 대충 얼버무리면 돼. 사람들이 느끼는 몸 상태만 멀쩡하면 문제 될 것 없어.

-그게 무슨 미친 소리예요, 확실한 것도 아니잖아, 스무 명 넘는 가든 사람들 몸으로 실험이라도 하겠다고요? 난 이제 막 좋아지기 시작했는데?

* 27일 08:11

-어어, 뒤로 조금만 물러나세요. 잠시만요.

아침이 밝자 관리자인 정민과 공동체 구성원들은 모두 제3구역 블러디프 밭에 모였고, 정민은 선인장 군락으로 모여든 사람들에게 말했다.

-여러분, 잠시, 잠시만 집중해 주세요. 제 다리에 차고 있는 각반 보이시나요? 각반에 긁힌 자국이 참 많죠? 어제 나현님은 이 각반이 없어서 그렇게 된 거예요.

-죄송합니다, 정말 죄송합니다. 주의하겠습니다.

나현은 정민의 말을 이어받아 사죄했다.

-오, 여러분 블러디프는 죽지 않았습니다. 비록 꽃은 시들었지만 블러디프가 달리 기적의 꽃이었을까요! 블러디프 선인장을 가르면…

필현은 자신의 탑 꼭대기 방에서 정민의 거짓 시연 장면을 내려다보고 있었다. 선인장이 갈라져 붉은 수액이 쏟아지자, 사람들은 환호했다. 나현은 공동체 거주인들에게 연신 고개를 조아리며 감사를 표했다.

그 장면을 보던 필현은 품 소리를 내며 웃어버렸다. 흐뭇한 미소 따위가 아닌 소리 나도록 내뱉어진 웃음이었다. 뱀파이어가 된 이후 처음 겪어보는 웃음이었다.

부모에게 물려받은 시스템 속에 갇혀버린 외톨이였던 필현은 이제 깨달았다. 부모님이 물려준 건 다루기 어려운 과학에 기반한 시스템이 아니라 신화였다는 걸. 그리고 신화를 함께 키우고 유지할 존재들이 곁에 있다는 걸. 세상 속에 혼자 남겨진 게 아니었다. 필현은 부모님이 마련해준 오가닉 가든을 두루 내려다봤다. 모든 것이 투명하게 보이는 듯했다. 이 신화는 필현 자신의 신화였다. 늘 고독하고 두려웠던 가든이 처음으로 사랑스럽게 느껴졌다.

인스턴트 인연

서보현

소설

서
보
현

안정적인 것을 좇아 8년째 보건 분야에서 일하고 있는 30대 직장인이다. 마음속 갈망을 활자로 꺼내고 싶어 블로그와 브런치에 글을 쓰기 시작했다. 쓰다 지우기를 반복하며 하나의 글을 완성하기까지 오랜 시간이 걸리지만, 그래도 여전히 쓰고 싶다. 사계절 내내 보고 느낀 바를 사진으로 찍고 글로 기록하면서, 그 속에 오가는 불안한 감정을 동반한 채 살아가는 중이다.

인스턴트 인연

#1

　달리는 차 안에는 적막이 흘렀다. 앞이 뚫린 도로 위로 우리만 덩그러니 놓인 기분이 들었다. 현지는 고개를 돌려 창밖을 바라봤지만 온 신경은 채원에게 있었다. 아무런 표정이 없는 얼굴로 운전대를 잡은 채원에게서 냉기가 느껴졌다. 에어컨 바람이 나와 더 춥게 느껴진 건지는 알 수 없었다. 알 수 있는 거라곤 저녁 시간을 놓친 지 오래됐다는 것과 뒷좌석에서 이따금 헛기침하는 소리가 들려왔다는 것이었다. 공기는 건조해졌고 한없이 무거워졌다. 현지는 뒤를 돌아 선우와 정원에게 말을 걸고 싶은 충동이 일었지만, 이내 마음을 접었다. 썩 좋은 행동은 아니라는 판단이 들어서였다. 정적이 깨진 건 그로부터 한 시간이 지난 후였다.

"기왕 찍은 건데, 이렇게 버려지는 건 아깝다는 생각이 드네."

2박3일 동안 남해를 돌아다니면서 촬영한 영상을 두고 선우가 꺼낸 말이었다.

"난 별로. 이걸 계기로 또 일을 벌이고 싶지 않아."

채원의 말에는 예전처럼 거리낌 없이 대하기 어렵다는 의미까지 내포되어 있었다. 정원이 동의한다는 듯이 고개를 주억거렸다.

"분명히 말했어. 나만 얼굴이 나오는 것도 그렇고, 누가 몰래 찍는 건 더 싫어한다고."

채원은 앞만 보며 날이 선 목소리로 말했다.

"그렇지만 여행지만 소개하면 재미없지 않아? 알다시피 일상처럼 여행하는 모습을 담아내는 게 공모전의 취지이기도 하고, 이왕 하는 거 제대로 해서 상금도 받으면 좋잖아."

별 뜻은 없었다고, 네가 이렇게까지 불쾌해할 줄은 몰랐다고 해명하는 선우의 태도에 채원의 눈썹이 일그러졌다.

채원은 교차로에서 핸들을 오른쪽으로 꺾으며 뒷좌석을 흘겨봤다.

"그렇게 오빠 마음대로 할 거였으면, 애초에 여기 오지도 않았어. 정 공모전에 참여하고 싶으면 그렇게 해. 대신 내가 나오는 장면은 다 편집해. 목소리도."

채원이 영상 분량의 대부분을 차지하는 걸 모를 리가 없었다. 툭하면 선우는 채원의 옆에 가서 말을 걸었으니까. 이건 부탁이 아닌 명령이었다. 채원의 허락 없이는 영상을 쓸 수 없다는 일종의 압박이었다.

보이지 않았지만, 채원의 못마땅해하는 눈초리가 현지의 눈에 선했다. 현지는 채원과 생각이 달랐다. 적어도 한번 시작한 건 매듭을 지어야 했다. 일도 그렇고, 사람과의 관계는 더 그러하고.

"채원아, 다시 생각해보는 게 어때? 선우 오빠가 일부러 그런 것도 아닌데. 이제 와서 없던 일로 하는 것도 마음에 좀 걸려서…"

현지는 뒷말을 흐렸다. 채원과 선우의 상황을 이해하지 못하는 건 아니었다. 다만 다른 이유로 좋아했기에, 이런 식으로 끝낼 수는 없었다. 채원은 현지보다 한 살 어렸지만, 친구처럼 여기던 동생이었고, 선우는 현지가 호감을 느끼던 상대였다. 정이 많아 베푸는 걸 좋아하던 채원이 모두 함께 돈독해지길 원했던 것과 달리, 선우는 채원에게 관심을 드러내며 카메라를 들이댔다. 채원의 화를 돋우게 한 건, 둘째 날 밤에 동의 없이 촬영된 걸 뒤늦게 알게 되면서였다. 어깨에 손을 대거나 부담스러울 정도로 다가오는 선우의 행동은 채원에게 달갑지 않았을 것이다. 그렇지만 현지는 영상 하나로 사이가 틀어지길 원치 않았다. 우리가 친해진 지 오래되지 않았다고 하더라도.

지난 3개월간 서로의 일기를 읽으면서 내적으로 친밀감을 느꼈던 현지였다. 회사 건물 내 1층 카페에서 일하는 채원과 인연이 닿고 나서, 일기를 인증하는 채팅방에서 정원과 선우를 알게 되었다. 알고 보니 같은 회사의 후배가 정원이었고, 집 근처 레스토랑은 선우가 운영하던 곳이었다. 그중 교류가 제일 많았던 채원은 현지에게 밝은 에너지를 주는 존재였다. 이대로 차 문을 열고 나갔다가는 채원하고도 되돌릴 수 없을 것 같았다.

-경로를 이탈하셨습니다. 경로를 이탈하여 재검색합니다.

내비게이션의 안내 음성이 차 안에 울려 퍼졌다. 현지는 우리의 처지와 비슷하게 느껴져서 서글퍼졌다.

채원은 방향이 재설정될 때까지 차를 천천히 몰았다. 신호를 기다리던 중 술병을 궤짝으로 실은 트럭 한 대가 지나갔다. 초록빛 물결이 넘실대는 것이 둘째 날 숙소에서 나뒹굴던 소주 공병같이 보였다. 어젯밤 일을 떠올리자 머리가 지끈거렸는지, 채원은 관자놀이를 지그시 눌렀다.

#2

모든 일정을 마친 뒤 남해 숙소에서 보내는 마지막 날이었다. 저녁으로 바비큐를 하자고 얘기한 채원이 목살과 삼겹살을 보기 좋게 잘랐다.

"누나 제법인데? 꽤 먹음직스러워 보여."

채원이 건넨 고기 한 점을 먹은 정원의 눈이 동그래졌다.

"누가 구운 건데, 이래 봐도 내가 목살 굽는 데 일가견이 있는 사람이야."

"내가 하겠다고 하는데도 집게랑 가위를 가져가더라고."

선우는 머쓱한 듯 머리를 쓸어내렸다.

"이럴 때 보면 채원이가 마음이 참 넓어. 휴일에도 쉐프님 일할까 봐 대신 고기까지 굽고 말이야."

쌈장 없이 고기만 넣은 상추쌈을 채원에게 건네며 현지가 말했다.

"얘기가 그렇게 흘러가나. 근데 언니, 이럴 때만이라니. 원래도 배려심 많거든."

채원은 장난스러운 표정을 지으며, 코를 찡긋거렸다.

술잔이 오가며 부딪히는 소리에 맞춰 빠른 박자감의 노래가 흘러나왔다. 네 사람의 웃음기가 섞인 말의 높낮이는 제각각 달랐지만, 발개진 두 볼은 엇비슷했다.

"난 가끔 그런 상상을 하거든. 40대가 돼도 우리가 이렇게 만날 수 있을지. 뭐 하면서 살고 있을지도. 이런 생각은 나만 하는 거야?"

잔잔한 음악으로 전환되자 채원이 운을 뗐다. 현지는 서른을 앞둔 채원이 현재 서른인 자신에게 하는 질문같이 느껴졌다. 정년이 보장되는 직장에서도 적응하지 못하고 헤매는데, '십 년 뒤라고 크게 달라질까' 하는 의문이 머릿속에 맴돌았다.

"지금이야 자주 볼 수 있겠지만, 결혼해서 아이도 낳다 보면 만나기 힘들 것 같아."

일순의 정적을 깨고 단호한 말투로 대답한 건 정원이었다. 정원은 결혼에 대한 확고한 철학이 있었다. 외동으로 태어난 정원에게는 삼십 대가 되기 전에 좋은 짝을 만나야 한다는 일념이 있었다.

"결혼 얘기가 나와서 말인데, 정원이는 일단 누구라도 만나자."

채원은 정원이 아직 연애 경험이 없다는 걸 내색하며 정원의 잔에 소주를 따랐다.

"안 그래도 부모님이 걱정하시길래, 결혼정보회사에 가입했어."

눈이 마주친 채원과 현지는 어리둥절한 표정으로 정원에게 되물었다.

"그렇게까지 한다고? 회사 다니면서 소개를 받으면 되지, 그 비싼 돈까지 내면서 만나야겠어? 돈이 다 아깝다, 야."

"정원아, 채원이 말이 맞아. 곧 있으면 신규자 교육도 받을 텐데, 동기들 통해서 만나는 게 어때?"

그러다 돈도 모으지 못한 채 골로 간다고 채원이 덧붙이자, 정원은 심기가 불편해졌다. 내 일은 내가 알아서 한다는 말이 나오기 직전이었지만, 내뱉을 자신이 없었다. 싫은 소리를 했다가 분위기를 망치게 될 터였다. 정원은 애써 미소를 지으며, 비워진 잔을 만지작거렸다.

"정원이도 고심 끝에 내린 결정일 텐데, 알아서 잘하겠지. 자자, 한 잔씩 받자고."

정원의 표정을 의식한 선우가 소주병을 들며 일어섰다. 마지막으로 남은 술병이었다. 선우는 옆자리에 앉은 채원의 어깨를 잡으며 빈 병을 가리켰다.

"편의점에 가서 더 사 올까?"

채원은 밤바다도 구경할 겸 다 같이 갔다 오자고 했다.

3월 말의 밤은 깊어만 갔다. 봄으로 넘어가려다 겨울로 회귀한 듯 냉랭한 기운이 코끝을 감싸왔다. 편의점은 숙소에서 걸어서 갈 수 있는 거리로 바다 근처에 있었다. 채원은 현지와 팔짱을 낀 상태로 현지의 잠바 주머니에 손을 넣었다. 선우는 채원과 나란히 섰고, 정원은 현지와 조금 떨어진 상태에서 걸었다. 편의점에 가까워질수록 우뚝 솟은 원형의 구조물이 보이기 시작했다. 밤하늘 위로 무지개색 조명이 반짝거리는 대관람차였다. 타지 못해 아쉽다는 채원의 말에 현지는 다음에 또 오자고 속삭였다.

현지는 편의점에 들어오자마자 냉장고에서 소주를 꺼냈다. 뒤따라 들어온 정원이 현지를 도와 술병을 바구니에 담았다. 정원에게 병을 건네던 현지는 계산대 쪽으로 몸을 돌렸다. 채원에게 불꽃놀이를 하자며 폭죽을 들이미는 선우가 보였다. 한 손에 카메라를 쥐면서, 선우는 채원을 향해 해맑게 웃었다.

스파클라에 불을 붙이자 가느다란 막대 위로 영롱한 빛이 번쩍였다. 두 손에 막대를 하나씩 거머쥔 채원이 바다를 향해 흔들었다. 발을 동동 구르면서 모래사장 위로 뛰자, 불빛 사이로 잇몸이 드러난 채원의 입가가 도드라졌다. 작아지는 불씨가 꺼져갈 때쯤, 타다 남은 스파클라를 바닥에 던졌다.

"언니도 해봐. 너무 재밌어. 스트레스가 풀리는 기분이야."

배를 움켜잡던 채원이 숨을 골랐다. 아직 여운이 가시지 않았는지 채원은 폭죽을 새로 뜯어 정원에게 넘겨줬다. 모래 위에 세워둔 폭죽들이 잇따라 터지기 시작했다. 뿌연 연기와 함께 붉어졌다가 푸르렀다 노랗게 물드는 불꽃이 하늘 위로 타올랐다. 채원은 아까보다 더 신나 했고, 선우는 그런 채원의 모습을 카메라에 담았다.

현지가 기억하는 그날 밤은 여기까지였다. 너 나 할 것 없이 우리는 만취해있었다. 숙소까지 어떻게 갔는지도 모를 정도였다. 누구의 손인지 분별이 가지 않을 정도로 서로의 손을 잡으며 우리는 숙소로 갔다. 도착했을 때조차 아무도 이상한 낌새를 느끼지 못했다. 편의점에서 산 술을 바닷가에서 마시고 왔다는 사실을. 다음날 해장국을 먹던 중, 선우가 찍은 영상을 보며 채원이 화를 낼 거라는 사실도.

영상 속 채원은 불꽃만 보면 좋아서 활개 치고 다니는 어린아이 같았다. 불콰해진 얼굴로 까르르 웃는 채원의 모습은 그날 이후로 볼 수 없었다.

#3

익명의 채팅방에서 일기를 인증하면서, 사석에서 처음 만난 건 선우의 식당에서였다. 그로부터 두 달이 지난 지금까지도 식당 마감 시간에 맞춰 늦은 저녁을 먹곤 했다. 1년 넘게 영업 중인 가게에 손님이 꾸준히 오지 않는다며 한숨을 내쉬던 선우를 목격하면서였다. 종종 가서 매출을 올려주겠다고 채원이 우스갯소리를 한 후부터, 우리는 자연스럽게 선우의 가게로 모였다. 채원이 날짜를 정해 연락을 개별적으로 돌리면, 단체대화방은 이후에 활발해졌다. 항상 약속을 잡는 사람은 채원이었으며 이날도 예외는 아니었다.

주방에서는 기름에 달달 볶아진 마늘 향이 올라왔고, 원형 테이블에 앉은 채원과 현지는 정원을 기다리며 이야기꽃을 피웠다. 채원은 왼쪽 눈썹을 위로 치켜들었다. 좋은 아이디어가 떠오를 때마다 나오던 버릇이었다.

"SNS에서 이런 공모전을 봤는데, 경상남도 내 관광지를 돌아다니면서 영상을 만들면, 1등 하는 팀에게 상금으로 500만 원을 준대. 언니 솔깃하지 않아?"

메뉴를 개발할 겸 식당을 재정비할 계획이 있다던 선우의 말이 떠올랐는지, 채원은 연달아 입을 열었다.

"선우 오빠 쉬는 날에 맞춰서 떠나는 거 어때."

영상을 찍자고 먼저 제안한 사람은 채원이었다. 정원이 들어오자마자 채원은 다급하게 앉으라는 손짓을 했다.

"정원이는 아직 발령 나려면 멀었고, 언니도 휴직 중이라 시간 괜찮지? 갔다 오자."

선우가 갓 만든 파스타를 먹기도 전에 우리는 여행 일정부터 잡았다. 채원의 말 한마디에 모든 일은 재빠르게 진행되었다. 남해로 여행지가 확정되면서, 계획을 짜는 건 현지에게, 영상을 촬영하는 일은 카메라가 있는 선우에게 돌아갔다. 정원의 차로 이동하는 대신, 운전은 채원과 번갈아 가며 하기로 했다. 남해로 떠나기 하루 전에도 채팅방에서 알림이 연신 울려대는 통에 조용할 틈이 없었다. 채원은 현지에게 전화를 걸어 미처 하지 못한 말을 전했다.

-다랭이마을은 유채꽃밭이 유명하니까 사람들이 붐빌 거야. 관광객들 오기 전에 미리 가서 보고 있자. 언니, 그거 알아? 남해는 유자가 유명하대. 나 그거 먹어 보고 싶어, 유자 막걸리. 무슨 맛일까. 맞다, 그것도 해봐야 한다던데. 클리프워크 말이야. 아 언니는 고소공포증 있다고 했나. 우리 독일마을에서 파는 독일 맥주도 마셔야 해.

채원은 현지가 작성한 일정을 보며 조잘거렸다. 통화는 새벽 두 시가 다 돼서야 끝났다. 현지는 핸드폰을 탁상에 놓으며 침대에 누웠다. 오랜만에 학창 시절로 돌아가 수학여행을 기다리는 학생처럼 가슴이 두근거렸다. 휴직하고 나서, 누군가와 길게 통화할 일이 없던 차라 피로가 몰려왔다. 손가락으로 반쯤 감긴 눈을 지그시 눌렀다. 온몸에 힘이 풀리자, 손등에서 이불의 보드라운 감촉이 느껴졌다. 오랜만에 느껴보는 단잠이었다. 현지는 까무룩 잠이 들었다.

#4

현지

현지가 채원을 보며 든 생각은 '참 밝다'였다. 처음에는 행복한 하루를 보내라고 인사를 건네는 채원이 신기했다. 6층 건물 내 공단에서 근무하는 직원 수를 고려하면, 하루에 200명은 족히 상대해야 할 것이다. 그런데도 채원은 올라간 입꼬리를 내린 적이 없었다. 현지는 본인에게 없는 것이 채원에게 있다고 생각했다. 특히나 구김살 없는 성격이. 그러한 점이 현지는 내심 부러웠다.

잔업을 처리하느라 두 시간 늦게 퇴근하면서, 현지는 불이 켜진 카페 안을 둘러보다 채원과 눈이 마주쳤다.

"현지 주임님, 지금 퇴근하시는 거예요? 저도 지금 가는데, 아직 저녁 안 드셨으면 같이 드실래요? 근방에 닭볶음탕 하는 집이 새로 생겼더라고요."

"그럴까요?"

'좋아요' 하며 싱긋 웃는 채원에 현지도 따라 미소를 머금었다. 현지가 한마디를 던지면 채원은 두 마디 이상을 했다. 그러면서 말이 많은 이유에 대해 사족을 붙였다.

"제가 말을 하지 않으면 입이 간질거리는 버릇이 있어서요. 친구들은 제가 하도 떠드니까 울음소리가 시끄러운 직박구리 같다나 뭐라나. 그런데 아무한테나 이렇게 하지 않아요. 제가 좋아하는 사람한테만 그러거든요. 주임님은 이해해주실 거죠?"

현지가 젓가락을 놓을 때쯤, 채원은 다시 입을 열었다.

"저희 밥도 먹고, 나이도 비슷한데 언니 동생 하는 거 어때요? 현지 언니."

사근사근하게 다가오는 채원은 현지와 다른 사람이었다. 새로운 일을 벌이는 것이 두렵지 않은 채원과 다르게, 현지는 뭔가를 즉흥적으로 해본 적이 거의 없었다. 사무실에 도착하면 그날 할 일을 수첩에 시간순으로 정리할 정도로 계획적이었다. 미리 정한 식당에서 봐둔 걸로 먹어야 했으며, 하나라도 어긋나는 날이면 종일 배가 불편했다. 정해진 시간 내에 업무를 끝내지 못하면 두통에 시달리곤 했다. 하지만 채원과 보내는 시간이 늘어날수록 불안했던 마음이 나아지기 시작했다. 채원의 쾌활한 성격이 현지의 아픈 부분을 보듬어줄 수 있을 것 같았다. 현지는 용기를 내어 고백했다. 근무한 지 1년도 채 되지 않았지만, 휴직할 수밖에 없었던 이유에 대해. 어쩌다가 공황장애 약을 먹게 됐는지까지도. 현지는 휴직한 날에 썼던 일기 내용을 되짚었다.

2023년 10월 6일 금요일

뭐부터 써야 할지 머릿속이 복잡하다. 마음이 진정되지 않는다. 오전에 휴직하겠다고 팀장님께 말했던 것 같은데, 시간이 어떻게 흘러갔는지 모르겠다. 기억나는 거라곤 곤란한 표정을 짓던 팀장님의 얼굴과 그간 나를 원망하던 목소리였다. 사실 팀장의 말은 다 새빨간 거짓말이다. 힘들다고 말을 꺼낼 때마다 다른 얘기로 돌린 건 내가 아닌 팀장이었다. 내가 두 사람 이상의 역할을 하고 있다는 걸 모를 리 없었다.

돌이켜보면 증상은 처음부터 심하지 않았다. 입사하고 석 달까지는 눈 밑이 떨리고 손발이 저릿한 정도였다. 호흡까지 가빠지자, 선택의 여지가 없었다. 6개월가량 정신건강의학과에 다니면서 공황장애를 진단받았다. 아직도 그때를 떠올리면 손이 부들부들 떨린다. 쏟아지는 업무를 쳐내느라 화장실도 못 가고 일만 한 내가 바보같이 느껴져서. 무얼 바라면서 그렇게까지 했을까.

그런 상태인지도 모르고 참기만 한 내가 한심스럽다. 한계에 다다른 것도 모르고…

휴직 사유에 '공황장애에 따른 질병 휴직'이라 써서 휴직신청서를 제출했다. 짐을 싸고 건물 밖으로 나왔다. 그러고 나서 채원이에게 전화를 걸어 만나자고 했다. 이유를 묻지 않고 등을 토닥이는 채원이의 손길이 너무 따뜻해서 그만 소리 내서 울고야 말았다. 나도 모르게 그동안 하지 못했던 얘기를 밤새 털어놨다. 속에 담아뒀던 말들을 뱉고 나니 후련해졌다. 채원이의 고민도 들으니 각별해진 기분이 들었다. 우리는 그렇게 비밀을 공유하게 되었다.

채원

1시가 되기 15분 전에 들어와 같은 음료를 주문하는 현지를, 채원은 매번 기억했다. 현지는 정갈하면서도 반듯했다. 셔츠의 단추는 목까지 채워졌으며, 빳빳하게 접힌 깃은 각이 잡혀 있었다. 쇄골까지 내려온 머리는 자로 잰 듯 길이가 일정했다. 손목 보호대를 낀 오른손으로 뿔테를 치켜올리면, 총기가 가득한 두 눈이 보였다. 목에 걸린 사원증에는 공단의 하늘색 마크가 인쇄되었다.

"따뜻한 히비스커스 티, 얼음 하나 넣어서. 맞으시죠?"

현지가 입을 떼기도 전에 채원은 메뉴를 재빠르게 확인했다. 옅은 웃음을 띤 현지가 눈인사하자, 채원은 티백 하나를 온수에 우려냈다. 채도 높은 빨간 물이 맑게 올라왔다.

"차가운 건 몸에 받지 않으세요?"

얼음을 넣은 차를 건네며 채원이 넌지시 물었다.

"장이 예민해서 잘 못 마셔요. 바쁘실 텐데 신경 써주셔서 감사해요."

현지는 주문을 기다리는 줄을 흘긋 보며 뒤로 물러섰다. 채원은 대화를 길게 하지 못해 아쉬웠지만, 식사를 마치고 들어오는 인파로 인해 밀린 주문을 해치워야 했다. 한 시가 넘자 기나긴 줄도, 삼

삼오오 모여 1층을 배회하던 무리도 보이지 않았다.

오후 6시에 이르자, 1층 로비에는 퇴근하기 위해 사원증을 찍고 나가는 직원들로 북적였다. 채원의 기억이 맞았다면, 그 시간대에 현지를 본 적이 거의 없었다. 쓰레기를 버리려 뒷문으로 향하던 중 현지와 마주쳤을 때를 제외하고는.

"출장 갔다 오셨나 봐요."

오른쪽 어깨에 걸쳐진 가방을 바라보며 채원이 말을 걸었다.

"거래처 미팅이 생각보다 길어졌어요."

시계를 확인한 현지는 언제 시간이 갔는지 모르겠다는 표정을 지었다.

채원은 멀어져가는 현지의 뒷모습을 멍하니 바라봤다. 한때는 번듯한 직장에 다니는 회사원을 꿈꾸던 시절이 있었다. 어쩌다 보니 대학교를 휴학했고, 학업에 뜻이 없어 중퇴했다. 사원증을 목에 걸며 주문한 커피를 손에 쥔 직장인을 동경하면서도, 그렇게 될 수 없다는 현실을 알고 있었다. 머리가 좋지 않을뿐더러 끈기가 있는 것도 아니었다. 채원은 자기 객관화가 잘 되어 있는 사람이었다. 유독 현지의 진득한 면에 끌린 것도 그 이유에서였다. 이것저것 시도했다가 포기하는 자신과 달리, 현지는 한 길만을 바라보며 달려왔다. 공기업의 높은 경쟁률을 뚫고 수석으로 입사한 현지가 멋있어 보이는 건 부인하기 어려운 진실이었다. 채원은 그런 현지가 마음에 들었다.

틈이 없어 보였던 현지에게 금이 생기기 시작할 때쯤, 채원에게도 변화가 찾아왔다. 버는 족족 쓰다 보니 통장 잔액이 어느덧 바닥나버렸다. 하루살이처럼 오늘만 즐기면서 살 수 없다는 걸 알면서도 멈추기 어려웠다. SNS에서 유행하는 음식은 줄 서서라도 사 먹었고, 유명한 관광지는 직접 눈으로 확인해야 마음이 놓였다. 어떤 것이 의미 있는 행동이고, 부질없는 것인지조차 분간이 가지 않았지만, 한 가지는 명확했다. 즐거운 감정이 지속되지 않는다는 점이 채원을 괴롭게 했다. 채원은 현지에게 이 상황에 대해 숨김없이 토로했다.

'도파민에 중독된 건지도 모르겠다고.'

2023년 10월 6일 금요일, 일기를 쓰면서 생각을 정리하는 것이 어떻겠냐는 현지의 조언을 받아들여, 채원은 일기를 공유하는 오픈채팅방을 만들었다. 채팅방에서는 익명성을 보장하기 위해 별명을 쓰기로 했다. 방장인 채원은 '직박구리'로, 채원의 초대를 받아 부방장이 된 현지는 '자람'이 되었다. 며칠 뒤 2명이 연이어 들어오면서 총 4명이 되었다. 뒤이어 입장한 그들은 '이상주의자'와 '초롱초롱'이었다. 방 이름은 밤에 기록한 글을 올린다는 의미에서 '일기 쓰는 밤'이 되었다.

#5

-직박구리(채원): '일기 쓰는 밤'에 오신 여러분, 모두 환영합니다. 일기를 인증하는 시간은 평일 오후 10시부터 자정이 되기 전까지입니다. 기간은 3개월이며, 중도 포기 시 처음에 입금한 만 원은 돌려받지 못합니다.

채원은 채팅창에 공지를 띄우며 간단한 규칙에 관해 설명했다. 인증할 때는 날짜와 내용이 보이도록 사진을 찍어서 올리면 된다고 덧붙였다. 방장인 채원을 선두로 대화의 물꼬가 트였다.

-직박구리(채원): 다들 일기를 써야 하는 이유가 있어서 이 방에 들어오셨겠죠? 한 명씩 돌아가면서 얘기를 나눠볼까요? 우선 저부터 소개할게요. 흔히들 '욜로'라고 하죠. 제가 그중 한 명이었습니다. 돈이 남아돌지 않았죠. 사태가 심각한 걸 알면서도 인스타에 올라오는 맛집이나 여행지 같은 핫플레이스는 경험해봐야 직성이 풀리더라고요. 그러다가 자람 님이 그날의 감정을 글로 정리해보라고 하셔서 이 방을 만들게 되었어요. 참고로 자람 님은 제 지인인데요. 그런 의미에서 다음 순서는 자람 님입니다.

-자람(현지): 안녕하세요. 자람입니다. 저는 하루를 마무리하고자 일기를 써왔는데, 벌써 3년째에 접어들었습니다. 쓰고 나면 개

운해지는 기분이 들어 고민이 있는 직박구리 님에게 추천했고, 채팅방을 개설한다기에 같이 참여하게 되었습니다. 3개월 동안 잘 부탁드립니다.

메시지 옆에 뜬 숫자 3은 얼마 지나지 않아 1로 바뀌었고, 그마저도 곧 사라졌다. 다음 타자는 '이상주의자'였다. 그는 자신을 소소하게 벌어 먹고사는 자영업자이자, 낭만과 평화를 꿈꾸는 이상주의자라고 소개했다.

-이상주의자(선우): 직업을 말해도 되는 건가요? 그래야 여기에 왜 참여하게 됐는지 말할 수 있을 것 같아서요. 저는 작은 식당 하나를 운영하고 있습니다. 일기를 써야겠다고 결심하게 된 계기는 적자인 가게와 씨름하다가 답이 나오지 않아서였습니다. 손님이 없는 테이블을 멍하니 보면서 종이에 끄적대던 것이, 저를 이자리까지 오게 했네요. 그냥 뭐라도 해봐야 하지 않겠어? 뭐 이런 심정이었던 거죠. 치열한 현실에서 벗어나 잠시라도 숨통이 트였으면 해서요. 뭐 대강 어떤 느낌인지 아시겠죠? 그래서 이상주의자가 됐어요. 온라인에서만이라도 평화로워지고 싶어서요. 그나저나 다른 분들은 닉네임에 어떤 의미가 있는지 궁금하네요.

현지는 나이를 먹었지만, 마음만은 아직 어린아이처럼 자라는 중이라 '자람'이라고 했다. 채원은 대화가 끊이지 않는 자신에게 친구들이 붙여준 별명이라고 했다. 큰 뜻이 없다고 답한 '초롱초롱'은 이어서 자기소개서를 작성하듯 메시지를 써 내려갔다.

　-초롱초롱(정원): 저는 취준생이었다가 원하는 회사에 최종 합격하게 된 초롱초롱 이라고 합니다. 일단 제가 합격 통보를 받은 지 1년이 다 되어가는데, 아직 발령받지 못하다 보니 지치더라고요. 재미있는 게 없을까 찾아보다가 우연히 직박구리 님이 운영하시는 '일기 쓰는 밤'을 발견하게 되었어요. 이번 기회에 기록하는 습관을 만들어가고 싶어요.

　정원의 인사를 끝으로 '일기 쓰는 밤'에서의 첫날이 지나갔다.

　일기를 쓰기로 결심한 이후, 채원은 평상시에 쓰지도 않는 안경까지 낀 채로 모니터 화면을 뚫어져라 쳐다보곤 했다. 대화 창에는 '일기 쓰는 밤'이 상단에 고정되어 있었다. 앞을 응시하며 골똘히 생각하는 것처럼 보였으나 이내 의자를 뒤로 젖혔다. 고개를 까딱거리면서도 손에 든 펜으로 시선을 옮겼다. 새로운 일을 시작했다는 점에서 설레는 감정이 들었지만, 미심쩍은 부분이 있었다.
　'이번에는 언제까지 유지될 수 있을까.'
　의심스러운 마음이 올라오려고 하자, 채원은 서랍에서 빈 연습장을 찾아 꺼냈다. 첫 장을 펼쳐 한 자씩 눌러 쓰기 시작했다.

2023.10.13.

나는 시작이 반이라는 말을 믿지 않는다. 언제부터 그렇게 됐는지는 모르겠지만, 시작하는 것 자체를 그리 대단한 일이라고 생각하지 않아서 그렇다. 오랜만에 쓰려니, 문장을 쓰는 법을 까먹은 것 같다. 그래도 일단 써본다. 나도 내가 무슨 말을 하는지 이해되지 않지만, 항상 이런 생각을 마음에 담아두다 보니 그렇게 된 게 아닌가 싶다.

며칠이나 가겠어.

좋아하는 건 많다. 그때마다 하고 싶은 일도 많다. 문제는 지속되지 않는다는 점이다. 그나마 지금 카페에서 일한 지 8개월이나 지났지만, 이 일도 언제 박차고 나갈지 모르겠다. 커피를 좋아해서 무턱대고 카페에 지원했다. 아니다. 어쩌면 유니폼을 입은 직원이 예뻐 보여서 그랬던 게 더 컸을 수도. 지금은 그마저도 남아있지 않다. 그냥 번 돈으로 어딜 갈지 궁리만 하고 있다. 유일한 낙이니까. 그것마저 하지 않는다면…상상하기도 싫다.

처음에는 나에게 주는 보상으로 어쩌다 한 번 크게 지출했던 것이, 잦아지면서 씀씀이가 커져 버렸다. 이제는 마이너스 통장에 손을 댈 정도로 돌이킬 수 없게 되었다. 스물아홉이 되니 슬슬 조바심을 느꼈나. 주변에서 자리를 잡아가는 친구들을 마주하기가 힘들어서? 끝도 없이 질문을 퍼붓는 어른들을 상대하고 싶지 않아서?

언제 돈을 모아서, 언제 좋은 짝을 만나서, 언제 결혼해서, 언제

애를 낳을 거니. 집은 또 언제 사고.

하지만 언제까지고 귀를 닫고 있을 순 없다. 그래서 이번 3개월만이라도 돈 대신 일기를 쓰려고 한다.

뭐라도 해보면 되겠지. 어떻게든 되겠지. 안되면 뭐 어쩔 수 없고.

채원이 쓴 내용은 '일기 쓰는 밤'에 전송되었다. 선우는 마지막 문장이 와닿았다며 채팅방에 의견을 남겼다. 결과에 연연해하지 않고, 될 대로 되라는 식으로 살아왔던 자신과 닮은 면이 있다고 했다. 오늘 적은 글도 그렇게 살아온 나날을 떠올리며 썼다고 덧붙였다. 선우는 인증 사진을 보내기 전에, 다시 한번 눈으로 읽었다. 채원에 이어 선우의 심정이 담긴 글이 올라갔다. 일기 속 선우의 시간은 과거로 흘러갔다. 네 명은 알지 못했던 서로의 삶 속에 머무르게 되었다.

10월 13일(금)

오늘따라 이상하리만큼 저녁 장사를 하기가 싫었다. 마감을 일찍 하고 밖을 나서는데, 갈 곳이 없었다. 근처에서 낮술이나 할까 하다가 귀찮기도 해서 집에 들어갔다. TV를 틀어놓고 소파에 누워 있는데 잠이 오지 않았다. 냉장고에 뭐가 있나 들춰보다가 선반에서 하나 남은 라면을 발견했다. 라면 냄비를 받칠 만한 걸 찾는데, 싱크대 하부장에서 수첩 하나가 나왔다. 잊고 있었는데, 오랜만에 보니 감회가 새로웠다. 나만의 요리법을 개발하겠다고 이것저것 만들면서 기록했던 것이었다. 20대의 청춘을 다 바칠 정도로 요리에 몰두했던 그때가 생각났다.

요리가 좋아 지방에서 다니던 대학을 그만두고 상경했다. 주방에서 일할 아르바이트생을 모집한다기에, 파스타를 전문으로 하는 식당에 찾아갔다. 최저시급보다 적게 줘도 괜찮으니 숙식을 제공해달라고 사정했다. 기름이 튀어 화상 흉터가 가득한 팔을 보던 사장님이 한 달만이라며 승낙해줬다. 더는 없을 기회라고 생각하며 미친 듯이 일했다. 사장님이 좋게 봐주셨는지, 본인이 새로 여는 식당에서 같이 일해보지 않겠냐며 제안했다. 실력을 인정받는 기분이 들어 좋았다. 언젠가는 가게를 차리고 싶었는데, 어쩌면 현실이 될 수 있겠다는 생각이 들었다.

시간이 흘러, 사장님하고는 친한 형 동생 사이가 될 정도로 가까워졌다. 형이 매장을 총괄하는 관리자였다면, 나는 주방에서 메인 쉐프로 자리매김할 때였다. 형이 결혼하게 되면서 당분간 본인 대신 매장을 관리하라고 내게 권한을 줬을 때이기도 했다. 신경 써줘서 고맙다며 아내와 식당을 방문했고, 그 이후에도 몇 번씩 형수님이 찾아와 형이 주는 거라며 선물을 건넸다. 그때 의심했어야 했다. 내게 다른 마음이 있었다는 걸 알아차려야 했다. 다 같이 저녁을 먹는 자리인 줄 알고 찾아간 집에는 형수님 혼자 있었고, 뒤늦게 형이 도착했을 때 형수는 나를 껴안은 직후였다. 오해였다고, 잘못 본 거라고 제대로 해명하지 못한 채 형과의 동업은 한순간에 깨지고 말았다.

다시 혼자가 되었다. 이십 대의 마지막은 철저하게 혼자의 힘으로 일어설 수밖에 없었다. 그렇게 해서 지금의 가게를 차렸다. 서른이 넘은 나이에 꿈꿔오던 사장님이 되었다. 모든 것이 다 이뤄졌다고 생각했다. 그런데 여전히 마음이 허하다면 뭐가 잘못된 걸까. 이제는 돈을 많이 벌고 싶다. 나를 지지해주는 사람을 만나고 싶은 욕구도 자라난다. 계속해서 바라는 것이 늘어나는데 이상한 걸까. 답을 알고 싶다.

자정이 되기 10분 전이었다. 약간의 간격을 두고 정원과 현지가 차례대로 글을 올렸다. 오랜만에 일기를 쓰려니 시간이 오래 걸렸다는 정원과, 개인적인 얘기를 공개해도 될지 고민하다 늦어졌다는 현지의 설명이 이어졌다.

23.10.13.(금)
집에만 있는 것이 심심해 어머니를 모시고 근교에 다녀왔다. 어머니가 드시고 싶다고 하셨던 간짬뽕과 크림 새우를 점심으로 먹었다. 내가 내겠다고 하는 걸 말리시면서, 첫 월급을 받으면 그때 한 턱 쏘라고 하셨다. 그동안 뒷바라지를 해가면서 고생하셨을 부모님을 생각하니 얼른 자리를 잡고 싶어졌다. 취업에 성공했으니, 이제 남은 건 사랑하는 사람을 만나 알콩달콩하게 사는 일이다. 친구들은 아직 나이도 젊은 데 결혼 타령이냐며 뭐라 하지만, 내겐 너무나도 중요한 문제다. 카페로 자리를 옮기면서, 어머니가 걱정이 가득한 목소리로 여쭤보신다.

정원아, 연애도 해봐야 느는 거야. 나는 우리 아들이 좋은 사람 만나서 잘 사는 것 말고는 바라는 게 없어.

어머니는 나의 모든 걸 알고 계신다. 심지어 내가 몰랐던 부분까지도 꿰뚫어 보신다. 거짓말을 하면 티가 날 정도로 얼굴이 새빨개진다는 점이 그랬다. 그래서 솔직하게 터놓아야 한다. 이제껏 여자친구가 없던 게 마음에 걸리셨는지, 어머니는 눈을 낮춰보라고 하신다. 하지만 눈이 그렇게까지 높은 것도 아니다. 내가 바라는 건 딱 두 가지다. 나보다 키가 작으면 된다. 이왕이면 150cm대였으면 좋겠다. 아이를 최소 2명 이상 낳을 수 있으면서 모솔인 나를 이해해줄 수 있으면 된다. 그런 사람을 만난다면 당장 내일이라도 결혼할 수 있다. 그만큼 간절하다.

2023년 10월 13일 금요일

눈 깜짝할 사이에 지나갔던 예전과 달리, 요즘은 하루가 유난히도 길게 느껴진다. 어딜 가지도, 누구와 만나지도 않아서 그런지 오늘이 무슨 요일인지, 지금이 몇 시인지 감각이 무뎌졌다. 현실 감각이라는 게 쉽사리 사라질 수 있다는 걸 느끼면서, 회사 밖은 참 고요하다는 사실을 깨닫는다. 그리고 그 고요함이 나쁘지 않다.

연락이 올 사람이 별로 없다는 걸 알면서도 핸드폰을 만지작거리는 버릇이 생겼다. 진동이 울려 뜬 화면에는 반갑지 않은 이름이 보였다. 휴직하고 나서 엮일 일이 없겠다고 생각한 팀장의 안부 인사였다. 힘들면 혼자 버티지 말고 교회에 가보라며 예배 영상 링크를 보내왔다. 지금은 무교지만, 천주교 집안이라 어렸을 때 세례도 받고 성당에 다녔었다고 말했던 것 같은데, 내 얘기는 여전히 안중에 없었나 보다. 사람이 참 한결같다. 예전이나 지금이나 팀장은 여전히 자기 생각만 한다.

보여주기식으로 일하는 방식을 꺼렸던 나는 정직하게 아니, 미련하게 일만 했다. 바쁜 시즌에는 밤 열 한시 넘어 퇴근하는 것이 일상이었다가도, 덜 분주한 시기에는 조금 일찍 퇴근했다. 다른 팀원들은 상사의 눈치를 보며, 팀장이 퇴근하기 전까지는 일어나지 않았다. 그들은 팀장에게 성의를 보였지만, 나는 애쓰지 않았다. 회식도 거의 참석하지 않았다. 팀장에게 밉보였다는 이유로 일은 하나둘씩 추가되었고, 그럴수록 몸은 과부하가 되었다. 신입인 주제에 잘난 척은 혼자 다 한다면서, 처음부터 마음에 들지 않았다는 험담을 건너 들으면서도, 나는 대응할 힘조차 남아있지 않았다.

그랬던 내가 신기하게도 조금씩 나아지고 있다. 숨을 쉬기 힘들어 어지러웠던 증상도, 초점이 없던 눈빛도 차츰 회복되고 있다. 되살아나고 있는 지금, 모든 것이 감사할 따름이다.

현지는 얼굴을 맞대면서 말하지 않아도 대화하는 기분이 들었다. 채팅방에서 쓴 글을 보며 얘기를 나눌 때면, 대관람차에 탑승한 기분이 들었다. 한 명씩 원형 캡슐에 각각 들어가 다른 사람이

보았을 바깥의 풍경을 헤아렸다. 그곳에서는 한 사람의 응축된 서사가 구름 모양으로 하나씩 걸려 있었다. 저마다의 이야기는 부풀려있지도, 마냥 가볍지도 않은 상태로 떠다니며, 하늘을 배회했다. 해 질 무렵부터 동이 틀 때까지 우리는 숨죽여 지켜봤다. 천천히 돌아가는 대관람차 속에서 서로를 향한 정이 무르익어갈 때쯤, '일기 쓰는 밤'도 어느덧 석 달이 다 되어갔다. 한 해의 끝자락에 있는 순간에도 계속해서 폭설이 내렸지만, 마음만은 따뜻한 12월이었다.

#6

목적지로부터 30분이 남았다는 내비게이션의 안내에 현지는 초조해졌다. 배를 짓누르는 안전띠를 풀고, 채원이 잡은 운전대를 돌려 갓길에 세우고 싶은 충동이 일어섰다. 반대편 차량에서 전조등의 불빛이 쏟아지자, 채원은 눈살을 찌푸렸다. 어둑해진 밤하늘에서 볼 수 없는 빛의 세기였다. 현지는 계속해서 채원이 마음에 걸렸다. 대기 신호에 차가 갑자기 멈춰 섰을 때, 의자 밑에 뒀던 유자 막걸리 통이 현지의 다리 사이로 굴러 들어왔다.

"채원아, 그러지 말고 도착하면 막걸리 마시면서 회포 좀 풀까? 네가 먹고 싶다고 했던 유자 막걸리야."

차가 앞으로 움직이면서, 막걸리 통이 시야에서 사라졌다.

"언니는 누구 편이야? 내가 이 말까지는 안 하려고 했는데, 혼자 울적해할 때 같이 놀자고 한 건 나야. 선우 오빠가 아니고."

채원은 좀 전에 선우의 편을 들던 현지의 발언이 신경에 거슬렸는지 쉴 새 없이 쏟아냈다.

"일부러 그런 게 아니라니, 언니가 봤어? 저 오빠, 시도 때도 없이 나한테 와서 추파를 던지더라. 내가 피했는데도 계속 옆에 붙으면서. 아마 충분히 마음먹었으면 그때 동업한 형의 아내하고 끝까지 가고도 남았을걸."

소름이 끼쳤는지 채원의 몸이 부르르 떨렸다. 적색에서 청색으로 신호가 바뀌길 기다렸다는 듯이 액셀을 밟았다. 급발진이었다.

선우가 썼던 일기 내용은 채원의 입을 거쳐 와전되었다. 서로의 연결고리가 되었던 개인사는 비수를 꽂는 약점으로 되돌아왔다. 거기에서 멈춰야 한다고 현지는 되뇌었지만, 채원은 끝까지 질주했다.

"언니네 팀장님이 왜 언니를 싫어했는지 이제야 알겠네."

여행지에서 돌아오던 그날 밤, 채원은 채팅방을 나갔다. 선우가 남해에서 찍은 영상을 폐기하겠다고 메시지를 보냈을 때는, 오후 10시 46분이었다. 선우와 정원마저 나간 방에 현지는 홀로 남아 있었다. 현지는 채원에게 보낼 내용을 아무도 없는 채팅방에 전송했다. 새벽까지 뒤척이며 핸드폰을 확인했지만, 채원으로부터 답장이 오지 않았다. 수신인이 없는 상태로 발송된 메시지가 제 발로 전달될 리가 없었다. 당연한 걸 알면서도 받아들이기 어려웠다.

-그런 뜻이 아니었다고 변명할 기회가 있었다면 달라졌을까. 화가 나는 바람에 그만, 상처를 주는 말을 했다고 사과했더라면, 우리는 계속해서 만났을까.

시간에도 가속이 붙었으면 좋겠다고 현지는 밤새도록 생각했다. 뜬눈으로 밤을 지새우면서 아침이 오기를 기다렸다. 창을 가린 블라인드 사이로 희끄무레한 새벽빛이 들어오자, 현지는 마지막으로 채팅방을 나갔다. 무거웠던 마음이 가벼워지는 기분이 들었다. 여전히 채원에게서 연락이 오지 않았다. 현지는 한동안 책장에서 일기장을 꺼내지 않았다. 그사이 인사팀에서 복직 시기를 확인하는 전화가 왔다. 다시 출근하기로 마음먹었을 즈음, 완연한 봄이 찾아왔다. 유채꽃이 흐드러지게 피는 어느 5월이었다.

2024년 5월 13일 월요일

밀린 일상을 정리할까 싶어 오랜만에 펜을 든다. 지난달을 기점으로 휴직은 끝나버렸다. 이달부터 복직하면서 새로운 팀에 들어갔다. 업무를 새로 익히느라 정신없지만, 다들 잘 대해주셔서 적응해나가고 있다. 사실 복직할지 아예 그만둘지 고민이 많았었다. 일도 일이지만, 사람 때문에 또다시 아파질까 봐, 이곳에서 끝까지 해낼 자신이 없었다.

문득 그런 생각이 들었다. 내 뜻대로 되지 않더라도, 자책하지 말자고. 일도 그렇고, 관계도 그러하고. 내가 선택한 직장이었다. 누가 시켜서 들어간 곳이 아니었다. 마음대로 되지 않는다고 해서 회피하는 건 옳지 못한 방법이었다. 나갈 때 나가더라도, 도망치듯 쫓기고 싶지 않았다. 솔직히 두려웠다. 나를 힘들게 한 곳으로 들어가 아무렇지 않게 행동한다는 게 말처럼 쉬운 일은 아니었다. 그래도 부딪히기로 결심했고, 그 선택에 후회하지 않는다.

복도에서 정원과 우연히 마주쳤다. 오랜 기다림 끝에 발령받아서 그런지 밝아 보였다. 데면데면한 게 눈에 보였지만 그럴 수 있다고 생각했다. 이제는 직장 동료 그 이상 그 이하도 아니니까. 그 사이 1층 카페는 다른 브랜드로 탈바꿈되었다. 채원은 그만뒀는지 보이지 않았다. 잘하면 다시 만날 수도 있겠다는 생각은 했지만, 거기까지였다.

오늘은 점심을 먹으러 팀원들과 백반집에 갔다. 그날따라 주문이 밀려 음식이 늦게 나왔다. 마침 내가 앉은 자리는 TV가 잘 보이는 자리였고, 식당들이 줄줄이 폐업해 위기라는 뉴스가 보도됐다. 가게가 어려워 힘들어하던 선우 오빠의 목소리가 들렸다. 아마도 환청이었을 것이다.

두 세계

신시언

소설

신시언

삶은 동사들의 집합이 아닐까 한다. 주로 누워있다에 많은 시간을 할애하고, 걷다와 춤추다로 활동량을 채운다. 생활을 굴리는 세 축은 먹다, 자다, 일하다. 그틈에 쓰다가 들어왔다. 정확히는 '마음대로 쓰다'. 마음대로 써본 동사의 힘이 등을 떠밀어주길. 그리고 결국에는 내가 쓴 것들이 '질문하다'에 가닿기를 바라고 있다.

두 세계

1.

멀건 국이다.

이름은 분명 '시래기 된장국'이겠지만 이 음식의 가장 큰 지분은 시래기도, 된장도 아닌 물이었다. 육수를 내기 위한 다시팩과 물의 비율은 글쎄, 후하게 쳐줘도 2대 8 정도일까. 윤하는 새벽 4시에 출근해 떼꾼한 눈으로 들통에 물을 부었을 엄마를 생각했다. 많은 구내식당이 '재료는 적게, 양은 많게'의 룰을 따르고 있으니, 뭔가 모자란 듯해도 딴에는 구색을 갖추느라 애썼을 것이다. 그 결과물이 이거다. 된장국이지만 허여멀건, 축 처진 시래기 이파리 몇 개 둥둥 떠다니는.

오늘 윤하는 밤 열 시가 넘어서야 집에 들어왔다. 식탁 위에는 으레 그렇듯 보온 도시락 하나가 놓여 있었다. 엄마는 식당에서 요리하고 남은 밥과 국, 반찬 몇 가지를 매일 도시락에 챙겨 와 식탁 위에 두었다. 이제는 토씨까지 외울 수 있는 메모와 함께.

[설거지하면 잠 깬다. 먹고 물에만 담가 놔라.]

윤하는 된장국에 밥을 말았다. 김치와 멸치볶음, 손바닥보다 작은 부추전 두 장도 그냥 그 위에 올렸다. 숟가락 하나만 들어 입안에 욱여넣었다. 냄새도, 맛도 느껴지지 않았다. 사실 이 시간이 될 때까지 밥 생각을 할 겨를도 없었다. 다만 허했다. 뭐라도 먹어야 이 긴 하루를 되짚어 볼 수 있을 것 같았다. 밥알들이 씹히지도 않은 채 식도로 넘어갔다.

자정이 지났을까. 현관문이 열렸다 닫히는 소리가 들렸다. 윤하가 개수대에 도시락 통을 넣어둔 다음 씻고 누운 뒤였다. 또 어디서 쥐새끼가 드나드나, 윤하는 벽을 향해 돌아누우며 나지막하게 말했다. 잠은 오지 않았다. 잠이 올 리도 없었다. 아버지는 종종 홀로 담요를 깔아두고 화투를 내리치다 버릇처럼 말했다. 일진 오지게 사납네. 오지게 사나운 날. 윤하에게는 그날이 오늘이었다. 그 일진이라는 것이 12시를 기점으로 바뀌는 것인지, 아니면 아침에 눈을 떠야 변하는 것인지는 모르겠지만. 윤하는 그대로 한참 동안 눈을 감고 있다가 불현듯 이불을 박차고 일어났다. 그리고 확신했다. 12시가 지나도 일진은 달라지지 않는다고.

벌컥.

윤상의 방문을 열자, 매운 족발 냄새가 윤하의 코를 덮쳤다. 동시에 책상을 향해 내리꽂는 환한 빛이 눈을 찔렀다. 윤하는 멍청한 표정으로 자기를 보고 있는 윤상을 잔뜩 구겨진 얼굴로 응시했다. 침대와 책상이 전부인 이 작은 방에 저 큰 조명은 또 어떻게 갖다 넣었을까. 윤상 앞에 놓인 모니터에는 하얀 글자들이 주광빛에 떠다니는 먼지들보다 더 빠르게 화면을 뒤덮고 있었다.

엌, 누구?

야식님 결국 들킨 건가요????

엄마면 등짝 스매싱 각ㅋ

윤상이 재빨리 화면으로 시선을 돌리며 말했다.

"아~ 제 동생이에요, 동생. 하나밖에 없는 브라더!"

그리고 아무렇지 않게 윤하 쪽으로 고개를 돌리며 덧붙였다.

"뭐야? 왜?"

"밤새 뭐 하는 거야? 시끄러워서 잘 수가 없잖아. 나 내일 출근해야 돼."

"저 새끼 저거. 야, 나도 이게 출근이야!"

윤상의 말에는 글자들이 화답했다.

그치, 야식러는 이 시간이 업무시간이지ㅋ

오~ 찐형제 바이브

담에 동생분하고 합방해줘요~ 콜?

윤상은 다시 모니터에 집중했다.

"뭐, 이미 뼈만 남았고 그러면 여기서… 아, 그런데 진짜 이 집은 맛은 기똥찬데 양이 좀 아쉬워, 약간 실속 없어. 하긴 야식은 또 너무 많이 먹으면 죄책감 들긴 하죠? 자, 오늘의 야식 배달, 괴안동 C 족발! 내돈내산이었고, 그러니까 가차 없이 말합니다. 가차 없이 누린내 잡아내고, 가차 없이 양념 쏟아 부었지만 감칠맛 안 놓쳤어요. 매운 족발이 가차 없이 맵기만 한 건 싫다, 하시는 분들한테 추천 드립니다. 아까 리뷰한 막국수 2인분 플러스, 족발 대자까지 다 합쳐서 가성비 이슈로 별점 5점 만점에 3.5점으로 마무리하고 다음에 봐요, 아듀!"

윤상의 목소리는 이 밤에 눈치도 없이 컸다. 행여 부모님이 깰까 방음이 안 되는 걸 알면서도 문고리를 꼭 붙들고 있던 윤하는 이제 그 손으로 자신의 미간을 눌렀다. 그리고 방을 나가려던 차, 윤상이 윤하를 도로 불러 세웠다.

"야, 많이 시끄러웠냐?"

윤하는 등을 돌린 채 그대로 서 있었다.

"그런데 오늘만 그런 거 아닌데? 나 이거 한지 오래됐는데?"

"알아."

"야, 내가 살림에 보탬 좀 돼보려고 하는 거니까,"

"보탬이 되는 거야, 아니면 식비가 더 나가는 거야?"

윤하가 날카롭게 뒤를 돌았다. 윤상의 오른쪽 뺨이 약간 씰룩였다.

"왜? 내 식비도 네가 대고 있어서? 억울하냐?"

"하아, 나 야근하고 와서 피곤하고, 내일도 일찍 나가야 돼. 자라."

윤하는 방문을 닫았다. 잠시 호흡을 가다듬자 불 꺼진 집안의 실루엣이 서서히 또렷해졌다. 주방과 거실의 경계도 없는 좁은 집은 식탁이며 소파가 주인처럼 자리하고 있었다. 여기 사는 사람은 고작 네 명인데 윤하에게는 저 식탁도, 저 소파도, 가스레인지나 찬장의 수저조차도 자신이 거둬야 하는 식구처럼 느껴졌다. 냉장고 돌아가는 소리가 웅 울리다 뚝 끊어지기를 반복했다. 맞다, 냉장고. 며칠 전 냉장고가 잘 돌아가다 멈췄다 하는 것 같다며 미안함과 민망함 사이 어딘가의 표정을 짓던 엄마 얼굴이 떠올랐다. 밥식, 입 구. 냉장고는 입도 없고 밥도 먹지 않는데 왜 제일 큰돈이 들어가나.

그제야 윤하는 윤상이 방송을 하는 동안 자신은 견적을 내고 있었다는 걸 깨달았다. 저 짓거리가 수익을 내고 있는 건지는 모르겠지만 들어가는 비용만 따져도 그럴 리 없었다. 이미 산 장비는 차치하고라도 배달 음식, 요즘 치킨만 해도 평균 2만 원이라는데 저 정도 크기의 족발이면 어림잡아 두 배, 배달비까지 더해서 일주일에 두세 번을 한다 쳐도 최소 십에서 십오. 그게 한 달이면. 배달 앱조차 깔아본 적이 없는 윤하는 눈앞이 어질, 했다. 낡은 빌라 1층. 거실 위쪽으로 난 방범창 창살 사이로 희미한 달빛이 조각 나 흩어졌다.

2.

당연히 좌천인 줄 알았다. 거래처 사장의 황당한 표정을 보기 전까지는. 이틀 전, 주변의 시선을 애써 모른 척하며 일을 하던 윤하는 인사팀 부장의 호출을 받았다. 50대 중반인 인사팀 부장은 키가 175cm 정도에 다부진 체격을 가졌지만, 비율상 머리가 커 직원들 사이에서 '모아이'라 불리곤 했다. 반전은 그의 표정에 있었다. 그는 매 순간 누군가 석상에 생명이라도 불어넣은 듯 다채로운 표정을 지었고, 그 석상 같은 하드웨어와 풍부한 소프트웨어의 대비가 워낙 커 더 큰 놀림거리가 되곤 했다. 윤하가 모아이 부장의 자리로 갔을 때도 마찬가지였다. 후배에게 손수 회의실 문을 열어주며 안타까워 죽겠다는 얼굴을 하고 있었으니.

"아니, 다름이 아니라, 윤하씨도 잘 알고 있겠지만 요즘 사내 분위기가 워낙 흉흉하잖아. 그래서 말인데, 아무래도 윤하씨를 다른 데로 보내는 게 맞는 것 같아."

윤하는 드디어 선고가 내려졌다고 생각했다. 모아이 부장은 일인칭을 썼으나, 그가 '맞는 것 같아'라고 애매하게 정리한 말끝은 '맞다고 위에서 그러네'의 다른 표현이었을 것이다. 윤하는 정공법을 택했다.

"회삿돈을 가로챈 건 저희 부장님인데, 왜 제가 다른 데로 갑니까?"

그는 미안해서 어쩔 줄 모르겠다는 듯 양 눈썹 끝을 거의 턱 끝까지 내리며 말했다.

"알지, 그런데 재무부장도 징계 받았잖아. 윤하씨는 그냥… 너무 정직한 게 탈이었다고 생각해. 내가 대기업 생활도 해보고 이런 작은 데서도 일 해봐서 아는데, 중소기업은 서로서로 덮어주고 챙겨주고, 그냥 그렇게 가는 거야. 그게 미덕이야."

숫자는 거짓말을 하지 않는다. 윤하는 일을 하면서 스트레스를 받을 때마다 이 말을 되뇌었다. 적어도 숫자는 거짓말을 하지 않으니 가짜 웃음으로 사람들과 부대껴야 하는 영업이나 뭐든 그럴듯하게 부풀려야 하는 마케팅보다는 재무팀이 낫다고 말이다. 이 회사는 회계와 재무의 구분도 없어 돈과 관련된 거라면 모두 윤하네 부서에서 처리했기 때문에 야근이 잦았다. 그 핑계로 책상 안에 갇혀 있어도 됐지만. 옆자리에서 후배 현수가 언제 정시 퇴근해 보냐며 볼멘소리해도, 사사로운 인간관계 신경 쓰지 않고 자리만 지켜도 이해해 주니 그렇게 퉁 치자 달랬다.

그러니 그럭저럭 만족할 만도 했다. 몇 달 전부터 눈에 띄기 시작한 오차만 아니었다면. 대차대조가 맞지 않는 일은 종종 있었으나 이상한 부분에서 조금씩 숫자가 비었다. 처음에는 팀장에게 보고하는 선에서 마무리했다. 그런데 그게 부장 선으로 올라가면 마치 마법처럼 자본과 부채, 수익과 비용의 아귀가 딱 맞아떨어져 다시 건전한 재무제표가 되어 돌아왔다. 윤하도 알았다. 이건 명령이라는 걸. 밑에서 이렇게 알아서 처리하지 않고 왜 문제를 만드느냐는 말이었을 테다. 하지만 윤하는 결괏값이 어긋날 때마다 그걸 들고 가 팀장에게 물었다. 위에서 떨어진 이 숫자는 어디에서 나왔기에 처음과 다르냐고, 숫자는 거짓말을 하지 않는다면서.

40대 초반의 재무팀장은 늘 자기보다 어린 부장의 눈치를 보는 사람이었다. 잉크를 부은 것처럼 머리색이 짙어, 이마 부근에 난 새치 한두 가닥이 유난히 두드러졌다. 하루는 그가 윤하에게 지나가듯 말했다.

"우리 둘째가 이제 갓 초등학교에 들어갔는데 벌써 진로를 정했다는 거 있지. 발레를 하겠다나. 하이고, 그게 돈이 장난 아니게 든다고 그러더라고. 그런데 어떻게 애한테 그러겠어? 우리 형편에 무슨 말도 안 되는 소리냐고. 그래서 그냥 열심히 하라 했지. 이제 나도 퇴근하고 배달 알바라도 뛰어야 할 판이야."

평범한 일상 이야기를 하는 듯했지만, 그 어조는 자못 단호했다. 윤하가 계속 꼿꼿하게 군다면 자신은 빠지겠다는 선언처럼. 재무부장이 공금을 유용한다는 건 숫자가 말해주고 있었기에 팀장도 그걸 모를 리 없었다.

처음에는 그저 어쩔 셈인지 알고 싶었다. 그래서 윤하는 직접 부장을 만나려 했으나 부장은 계속 면담을 거부했다. 거래처에 간다는 둥, 사장과의 점심이라는 둥, 회의가 길어져서 다음에 보자는 둥. 그렇게 어영부영 시간이 지나고 윤하의 계산과 다른 대차대조가 넉 달쯤 쌓였을 때. 윤하는 꼬박 사흘을 고민했다. 팀장도 손을 뗐고, 부장이 문제라면 더 윗선으로 가야 한다. 복잡한 머리를 정리하기 위해 새벽 다섯 시에 일어나 조깅까지 하고 돌아온 윤하는 결국 그날 본부장실로 찾아가 부장의 횡령을 고발하는 걸 택했다. 이미 회사 재정 상태가 좋지 않다는 걸 뻔히 아는 본인이 재무부장과 한통속이 될 수는 없었다. 윤하는 자신의 월급이 미뤄지지 않을 만큼 안정적인 회사가 필요했고, 적어도 경영진은 그런 회사를 원할 거라 생각했다. 섣부른 결론이었지만.

모아이 부장은 갑자기 목소리를 낮췄다. 그러면서 직원이라면 모두가 다 알고 있는 사실을 본인만 아는 비밀인 양 말했다. 이 회사의 사장, 부사장이 부부인 것, 그들의 하나뿐인 아들이 본부장이라는 직함으로 전체 부서를 관리하고 있다는 것, 여기에 재무부장이 그 하나뿐인 아들의 절친한 선배라 그렇게 젊은 나이에 부장이됐다는 것까지. 모아이 부장이 이 꼬리에 꼬리를 무는 인연을 언급한 건, 지금 네가 건드린 건 너의 상사가 전부가 아니라는 것을 명확하게 정리하기 위해서였으리라. 그랬다. 윤하 딴은 본부장이 재무부장과 친했기 때문에 더 배신감을 느끼지 않을까 했다. 그렇지만 조상의 지혜는 진리였다. 팔은 안으로 굽는다.

그 사이 모아이 부장의 눈썹은 제자리를 찾았다. 다만 이번에는 더 은밀한 실상을 알려주겠다는 듯 왼쪽 입꼬리를 내리며 이 회사의 '패밀리 트리'에 가지 하나를 이어 붙였다. 회사와 가장 활발하게 거래하는 곳이 바로 사장 동생이 운영하는 업체라는 것, 각 회사의 더러운 사정은 형님과 아우가 서로서로 보완해 주고 있다는 것, 그리고 지금 윤하를 그 거래처 재무팀으로 보내려 한다는 것까지. 이미 거래처와는 이야기가 끝났다 했다. 같은 연봉, 같은 직급으로, 말 그대로 책상만 옮기면 된다고. 규모도 비슷해 일이 늘어나는 일도 없을 거라 덧붙이면서.

"출근은 내일부터 하면 돼."

"당장 내일부터요? 인수인계도 없이요?"

순간 모아이 부장의 눈빛이 칼끝처럼 번뜩였다. 허나 그 찰나를 덮으려는 듯 그는 이마의 주름을 한껏 접으며 왼쪽 눈썹의 안쪽은 위로, 오른쪽은 아래로 내렸다.

"아유, 걱정 마. 윤하씨 업무는, 그 후배 있잖아? 현수씨가 다 알아서 할 거야. 정 모르겠다는 게 있으면 전화하라 할게, 그럴 때만 좀 도와줘. 그리고 윤하씨, 이거 우리 인연 끝나는 거 아니야. 내가 말했잖아, 상부상조, 상호보완, 뭐 그런 개념이라고. 그냥 거래처에 파견 나간다고 생각해. 알았지?"

3.

아이스박스 안에는 꽝꽝 언 돼지고기 두 팩, 냉동 만두 한 봉지, 얼려 둔 식빵이 들어갔다. 그 외에는 정체를 알 수 없는 까만 비닐봉지들이었는데, 거기에는 언제 샀는지도 모를 고등어나 오징어, 냉동 보관했다 먹으면 건강에 더 좋다더라, 며 엄마가 생각날 때마다 쟁여놨을 브로콜리나 팽이버섯 같은 것들이 얼어붙어 있을 것이다. 그 봉지들을 다 아이스박스로 옮기자, 냉동실 안쪽에서 먹다 남은 아이스크림 통이 두 개나 나왔다. 윤하는 아이스크림 통을 보며 자기도 모르게 인상을 썼다. 이 집에서 아이스크림 한 통을 다 먹지도 않았는데 또 사 올 사람은 한 명뿐이었으니까.

"그래도 그동안 많이 비워서 챙길 건 별로 없네. 냉장실에 있는 것들로 오늘 저녁 해 먹고, 김치랑 아이스박스는 급한 대로 내일 새벽에 식당 냉장고에 넣어두면 돼. 너 아이스크림 먹을래?"

엄마는 아이스크림 통을 식탁 위에 두더니 자연스럽게 밥숟가락 두 개를 챙겨 하나를 윤하에게 건넸다. 윤하는 숟가락을 받아 들고 의자에 앉았다. 냉장고가 돌아가다 멈췄다 한다더니 기어코 불이 꺼진 건 점심시간을 약간 비껴간 오후. 윤하가 피곤해서 반차를 냈다고 둘러대며 집에 들어왔을 때쯤이었다. 다행히 오늘 비번이었던 엄마는 마치 이럴 줄 알았다는 듯 베란다에서 아이스박스를 꺼내와 냉동실에 얼려둔 아이스 팩을 착착 깐 뒤에 식재료들을 정리했다.

"요즘은 냉장고 같은 것도 인터넷으로 사는 게 더 싸대. 내가 최대한 빨리 알아봐서 주문하고, 가장 이른 날짜로 설치해 달라고 할게."

엄마는 그늘진 얼굴로 아이스크림만 입에 넣었다. 세탁기가 망가지면 손빨래를 하면 되고, 청소기가 망가지면 비질이라도 하면 되지만, 냉장고는 답이 없었다. 답이 없으니 괜찮다는 둥, 이 없으면 잇몸으로 살면 된다는 둥 의미 없이 둘러대는 말도 할 수 없었을 것이다.

"아버진?"

윤하는 화제를 돌렸다.

"뭐 또 경로당에서 어르신들하고 화투 치고 계시겠지. 요즘은 밥도 밖에서 자시고 오실 때가 많더라."

"쟤는? 집에 없어?"

윤하가 윤상의 방 쪽을 향해 고개를 까딱하며 물었다.

"너 또 형이라 안 하고! 아버지 들으시면 혼나려고."

엄마는 순간 미간에 주름을 만들었다가 곧바로 풀면서 덧붙였다.

"윤상이는 요즘 뭘 하고 다니는지 코빼기도 안 보인다. 뭐 너희 형은 나 잘 때 깨어 있고, 나 나갈 때 자니까."

"엄마가 그걸 다 봐주니까 그러지. 아버지도 그래, 사람은 해 있을 때 활동해야 된다고 하면서 쟤는 왜 그냥 두나 몰라."

"그래도 형한테 너무 그러지 마."

또 시작이었다. 윤하가 윤상의 흉을 볼 낌새만 보여도 엄마는 윤상을 감싸며 똑같은 레퍼토리를 반복했다. 서론은 윤상이 끈기가 좀 없어서 그렇지 어릴 때부터 성격 좋고 주변 사람 잘 챙기는 걸로는 나무랄 데가 없었다. 본론은 눈치도 빠르고 공부도 잘했지만 부모가 뒷받침을 못 해줘서 지금껏 자리를 못 잡은 것이다. 결론은 자기 나름대로 노력은 하고 있으니 때만 잘 만나면 분명 잘 풀릴 아이다.

엄마, 그 아이가 벌써 서른다섯이야. 윤하는 하고 싶은 말이 가슴께부터 차올랐지만 아이스크림으로 차갑게 눌러 내렸다. 이 대화를 이어간다고 해도 그 끝이 어디인지를 이미 알고 있기 때문이다. 윤하가 그럼 나는? 이라는 질문으로 엄마의 논리를 반박하려들면 엄마는 늘 한 문장으로 윤하를 할 말 없게 만들었다.

"넌 네가 알아서 잘하잖아."

칭찬의 탈을 쓴 무관심. 그뿐이었다. 윤상이 회사를 또 관뒀다는 이야기를 세 번째쯤 들었을 때였나 보다. 윤상은 아무래도 사회생활이 자기와 안 맞는 것 같다며 자영업을 해봐야겠다는 소리를 들먹였다. 윤하가 자영업이라는 두루뭉술한 말 말고, 정확히 뭘 할건지, 자본금은 어디에서 구할 건지, 수입, 지출, 세금처럼 계산할게 천지일 텐데 가계부도 안 써본 사람이 그건 어떻게 할 건지를 또박또박 따졌더니 윤상보다 엄마가 먼저 눈치를 줬다. 그래도 뭘해보겠다는데 우리가 도와줄 거 있으면 도와주자며.

"쟤 도와주느라 내 허리 휘는 건 안 보여? 엄마는 내가 뭐하면서 돈 벌고 있는지는 알아?"

몰랐다. 엄마는 윤하가 회사에서 일을 하고 돈을 번다는 것만알 뿐, 그 일이 뭔지는 몰랐다. 엄마가 우물쭈물하다 넌 네가 알아서 잘하잖아, 를 주문처럼 외우는 사이 아버지는 끙, 소리를 내며한쪽 손으로 복대를 찬 허리를 짚고 일어났다. 그리고 방으로 들어가며 한마디 했다.

"어디 형한테 쟤, 쟤, 거려? 버릇없이."

윤하는 침대에 누워 핸드폰 검색창을 켜고 '부당해고 구제신청'을 입력했다. 정부 사이트부터 유명 노무사 블로그까지 행여 필요한 정보를 놓칠세라 꼼꼼히 읽다가 블로그에 링크가 걸려 있는 유튜브로 넘어갔다. 몇 개의 콘텐츠를 보다 보니 나타난 제목, '부당해고 구제신청 100% 이겨드립니다' 윤하는 급히 침대에서 일어나 자세를 고쳐 앉고 콘텐츠를 눌렀다. 그리고 이내 실망했다. 자극적인 제목은 영상 안에서 '요건을 갖춘 사건은 100% 승리도 가능'으로 바뀌었고, 결국 '100% 이긴다는 광고는 거짓말이니 잘 알아봐야 한다'라는 내용으로 끝났기 때문이다. 윤하는 이 콘텐츠 제목에 부당 광고 소송을 걸고 싶을 지경이었다.

조회수 장사나 하는 유튜브는 믿을 게 못 된다며 창을 끄려던 윤하는 문득 윤상을 떠올렸다. 어젯밤 야식러 어쩌고 하는 글자가 모니터에 언뜻 지나간 게 생각났다. 야식러, 라고 유튜브 검색창에 찾아보니 대문짝만한 윤상의 얼굴과 함께 '방구석 야식러'라는 채널이 나왔다. 구독자 7.53천명, 동영상 138개. 윤하는 매일 숫자를 보는 게 일이었지만, 이 숫자들은 도무지 감이 잡히지 않았다. 그래서 이게 많은 수인지, 적은 수인지. 다만 놀라웠다. 어쨌든 유튜브에 접속할 수 있는 전 세계 사람 중 약 7천명이 이 채널의 존재를 알고 있다는 뜻 아닌가. 7천명이면 연세대 노천극장을 꽉 채울 수 있을 정도의 인원. 그 야외 좌석에 7천명이 둘러앉아 있고, 윤상이 가운데에서 먹방을 하는 모습을 상상하니 어딘가 기이했다.

스크롤을 내려 섬네일을 훑자, 그간 윤상이 방송한 야식들이 줄줄이 이어졌다. 치킨, 햄버거, 육개장, 순댓국, 감자탕, 마라탕…. 그 사이 디저트를 종류별로 다룬다거나 편의점 음식 한 상을 차리는 등 나름의 변화를 준 콘텐츠도 보였고, 윤상의 방이 아닌 곳에서 다른 사람과 같이 찍은 것 같은 이미지도 등장했다. 뭐든 금방 싫증 내는 윤상 치고는 제법 꾸준히 영상을 올렸다는 사실이 의외였지만, 윤하는 그보다 어리둥절한 느낌이 더 컸다. 윤상이 유명인도 아니고, 그렇다고 호감형으로 잘생긴 것도 아닌데, 왜 이 많은 사람들이 굳이 자기 시간을 들여 남이 밥 먹는 모습을 보고 있는 걸까?

윤하는 윤상 앞에 피자 두 판이 펼쳐져 있는 영상을 눌렀다. 가만히 멈춰 있던 윤상이 환한 얼굴로 화면을 응시하며 말하기 시작했다.

"오늘 야식은 괴안동 동네 피자, G피잡니다. 요즘에는 새벽에도 배달하는 피자집이 많죠? 여기는 밤에 피맥하라고 피자에 생맥 500 주는 세트도 파는데, 저는 이 세트 두 개로 시켰어요. 피자는 기본 콤비네이션과 콰트로 치즈로요. 한 번에 두 판? 에이, 이 정도도 못 먹으면 먹방하면 안 되죠. 솔직히 세 판도 가능한데, 야밤에 보는 분들 더부룩하실까 봐 자제한 거예요. 제가 다른 건 몰라도 어릴 때부터 소화력 하나는 남달랐거든요. 가족들이 남기는 건 제가 다 해치웠으니까. 방구석 야식러 이전에 방구석 잔반처리러였다니까요?"

그랬다. 윤하는 걸핏하면 먹은 게 없혀서 소화제를 달고 사는 데에 비해, 윤상은 한 끼에 밥을 두세 공기씩 먹어도 멀쩡했다. 그래서 윤하가 더 못 먹겠다고 숟가락을 내려두면 윤상은 윤하가 남긴 밥을 자연스럽게 가져가 자기 밥그릇에 얹곤 했다.

　윤상이 10살, 윤하가 6살 때쯤. 엄마는 남자도 취미 하나는 있어야 한다며 없는 살림을 쪼개 윤상에게 피아노를 가르쳤다. 정작 윤하는 7살부터 유치원에 가면 된다고 어린이집도 보내지 않았지만. 부모는 맞벌이였고 형은 학원을 마치는 오후에나 들어왔으니, 엄마는 늘 윤하 몫의 점심을 차려두고 나갔다. 오전에 하는 어린이 프로를 보다 커튼 없는 거실에 해가 들어차면 배가 고파진 윤하는 밥상 앞으로 갔다. 그러나 정작 음식 냄새를 맡으면 허기도, 입맛도 사라지고 말았다. 억지로 두세 숟가락 입에 넣다 그대로 두어 밥알이 굳어가기를 몇 번. 차려준 밥도 안 먹는다고 혼나는 일이 늘었다.

　밥도 먹기 싫고, 혼나기도 싫었던 윤하는 결국 수를 썼다. 검은 비닐봉지를 찾아 밥과 국을 쏟아 넣은 다음, 찰랑거리는 봉지를 들고 밖으로 나간 것이다. 윤하는 음식을 버릴만한 곳을 찾아 골목 여기저기를 쏘다녔다. 전봇대 뒤에 몰래 두고 갈까, 저 교회 앞 나무 틈에 숨길까, 놀이터 미끄럼틀 아래 묻어 볼까. 생각은 많았지만, 슬그머니 봉지를 두고 돌아서려 하면 지나가던 사람들이 모두 자신을 보고 있는 것만 같았다. 그리고 당장 집으로 달려가 큰 소리로 외칠까 봐 걱정됐다. "동네 사람들, 여기 보세요! 윤하가 밥을 버렸어요!"

그렇게 이러지도 저러지도 못하고 도로 집 근처로 와 어정쩡하게 서 있을 때, 학원을 마친 윤상이 윤하를 발견하고 뛰어왔다.

"동생아! 너 왜 나와 있어?"

윤하는 윤상을 보자마자 왈칵, 눈물을 쏟아냈다. 윤상은 너무 놀라 윤하가 어디 아픈가 싶어 머리부터 짚어보고 까진 곳은 없는지 여기저기 살피더니 윤하의 울음이 잦아지길 기다려 무슨 일인지 물었다. 윤하는 봉지를 들어 보이며 어물어물 말을 이었다.

"밥이… 밥을… 흑흑, 못 먹겠, 흑, 혼자, 싫어서…"

그날 윤상은 윤하를 데리고 집으로 들어가 비닐봉지를 이중 삼중으로 싸매 자기 책가방 안에 숨겼다. 그리고 이건 형이 학교 가서 버릴 테니, 다음부터 밥 먹기 싫으면 그냥 두라고 했다. 윤상은 학교에서 점심 도시락을 먹었지만, 그날 이후 학원이 끝나면 집으로 와 윤하가 남긴 밥부터 해치웠다. 그리고 또 두어 시간 뒤에 퇴근한 엄마가 차린 저녁을 깨끗이 비웠다. 매일 비슷비슷한 반찬이 돌고 돌았는데도 윤상은 하루 네 끼를 투정 한번 없이 소화해 낸, 그런 사람이었다.

4.

평일 낮의 여의도 한강 공원은 고요할 정도로 한적했다. 간간이 강아지를 데리고 산책 나온 사람이나 자전거 한 대가 바람처럼 스칠 뿐이었다. 해의 방향이 비스듬해져 차양을 벗어난 볕이 윤하가 앉은 벤치로 들어왔다. 그렇지만 윤하는 지난 며칠을 되짚느라 얼굴이 따가운 줄도 몰랐다. 생각해 보면 윤하는 회사에 다니는 동안 모아이 부장과 개인적으로 부딪칠 일이 없었다. 3년 전 이직을 했을 때 그와 면접을 본 게 전부였다. 작은 회사였으니 안면이야 트고 지냈지만, 그와 대화다운 대화를 한 건 거래처로 이직을 권한 날이 처음. 그래서였을까, 그렇게까지 방심한 건. 윤하는 스스로에게 순진한 구석이 남아 있었다는 사실이 생경했다. 마치 과자 부스러기를 따라간 사람처럼 모아이 부장이 가만가만 이끄는 대로 가다 마녀에게 잡아먹힌 꼴이었다.

모아이 부장은 그날 회의실에서 윤하에게 사직서 한 장을 건넸다. 내용은 이미 작성되어 있었다. 우리 입장에서는 거래처로 발령을 내는 거지만 완전히 다른 사업체이기 때문에 사직서를 내고 경력직으로 재취업하는 형식이어야 한다고 했다. 회사에서 퇴직 처리를 하면 실업 급여니 뭐니, 정산할 게 복잡해지기 때문에 이편이 깔끔하다고. 윤하 딴에도 머리를 굴리지 않은 건 아니었다. 차라리 실업 급여를 받고 시일을 둔 뒤에 거래처로 가는 게 더 이득이 아닐지 가늠한 것이다. 그러나 모아이 부장은 틈을 주지 않았다. 거래처와 이야기 해둔 것도 있고, 말했듯 작은 회사들은 신용과 믿음으로 움직이는 거라고. 윤하가 썩 좋은 일로 가는 건 아니니 그쪽에서는 내일부터 빠릿빠릿하게 이미지 관리하라는 조언도 하면서.

윤하는 그 서류에 직접 사인한 본인의 오른손을 쥐었다 폈다. 제멋대로 그려진 손금이 갈피를 잡을 수 없는 미로 같았다. 그러다 갑자기 핸드폰을 켜서 음성 녹음 파일 목록을 눌러보았다. 남아 있는 건 아무것도 없었다. 분명 심각한 이야기를 할 거라는 걸 알았는데도 핸드폰 녹음기조차 켜지 않았다니. 윤하는 고개를 젖혔다. 얼굴을 때리던 볕이 목덜미로 향했다. 해를 가리지도 못하는 차양 안쪽에는 커다랗게 거미줄이 처져 있었다. 죽어도 이런 식으로는 나갈 수 없다고 발버둥이라도 쳐야 했는데.

윤하는 모아이 부장을 만난 다음날 거래처로 출근했다. 같은 연봉, 같은 직급이라 했으니 입구 쪽에 앉아 있는 사람에게 물어 재무팀 자리를 찾았다. 출근 시간보다 15분이나 일찍 도착했는데도 재무팀 사람들은 이미 다 책상을 채우고 있었다. 윤하는 눈으로 빈자리가 없다는 걸 확인한 후 배치상 팀장급이 앉을만한 자리로 가서, 다른 사람들에게 방해가 되지 않도록 작게 인사했다.

"저, 안녕하세요. 오늘부터 출근하기로 한 이윤하라고 합니다."

팀장으로 보이는 직원은 윤하의 등장을 전혀 예상하지 못했다는 듯 화들짝 놀란 표정으로 잠시 멈춰 있었다. 짧은 단발을 한 직원의 얼굴은 동그란 안경이 꽉 채우고 있었고, 그 안경이 낮은 콧대를 따라 슬쩍 내려왔다. 직원은 안경을 손으로 올리며 말했다.

"오늘부터 출근이요? 우리 팀으로요? 이상하다, 전혀 들은 게 없는데."

직원은 어딘가로 전화를 걸더니 계속해서 고개를 갸웃거렸다. 이때만 해도 윤하는 급한 이직이라 아직 연락이 제대로 돌지 않

은 것이려니 했다. 직원은 윤하에게 따라오라 하며 윤하를 인사팀
으로 데려갔다. 그러나 그곳에서도 영문을 몰라 하기는 마찬가지
였다. 그제야 윤하는 이곳에 오게 된 사정을 상세하게 설명했지만,
돌아오는 대답은 여전히 들은 바가 없다는 말이었다.

"아무래도 뭔가 혼선이 있었던 모양인데요. 저희는 전혀 모르
는 일이라, 이전 회사에 가서 어떻게 된 건지 다시 알아보셔야 할
것 같아요."

윤하는 뒷덜미가 서늘해지는 걸 느꼈다. 그 서늘함의 정체를 찾
기도 전에 일단 다급히 말을 이어 붙였다.

"혹시 사장님 나오셨나요? 사장님은 아마 알고 계실 텐데요?"

인사팀 직원은 반신반의하는 얼굴로 윤하를 사장실로 안내했
다. 두 평 정도 되는 공간의 반투명한 문을 열자, 머리카락 몇 가닥
이 넓은 이마에 겨우 얹혀 있는 중년의 남자가 앉아 있었다. 윤하
를 뒤에 두고 앞에 나선 직원의 자초지종을 듣는 동안 거래처 사
장의 그 넓은 이마 위에는 '황당'이라는 글자가 새겨지는 것 같았
다. 머지않아 사장은 그 글자를 지워내며 윤하를 안타까운 눈으로
바라봤고, 그 눈빛을 본 윤하는 깨달았다. 덫에 걸렸다는 걸.

윤하가 여의도에 온 건 현수가 소개한 노무사를 만나기 위해서
였다. 거래처에서 곧장 다시 모아이 부장을 만나러 간 그날, 윤하
가 맥이 풀린 채 거리로 나왔을 때 후배 현수가 급히 뒤따르며 명
함 하나를 주었다. 자기도 첫 직장에서 안 좋게 퇴사했는데, 그때

큰 도움을 받았던 사람이라면서. 긴 머리를 하나로 질끈 묶은 정장 차림의 노무사는 윤하에게 묻지도 않고 믹스 커피를 타 주었다. 그리고 현수에게 대충 들었다며 윤하에게 몇 가지를 확인한 후 커피가 채 식기도 전에 결론을 내렸다.

"선생님 말씀이 모두 사실이라 해도, 이 건은 좀 어렵겠습니다. 사측에서는 선생님께서 직접 사직서를 낸 게 전부라고 주장한다면서요. 선생님 말씀대로 사측이 준비했던 사직서라 해도, 선생님께서 직접 사인을 한 건 맞기 때문에…. 선생님 주장에 대한 증거가 너무 부족하네요. 저희가 해드릴 수 있는 건, 사직 전까지 월급 정산이 제대로 되는지를 확인해 드리는 것 정도예요. 요즘 부당해고가 이렇게 교묘해지는군요. 도움을 못 드려 죄송합니다."

노무사는 계속해서 윤하가 겪은 일을 '윤하의 주장'으로 축소했다. 사측과 말이 다르기 때문에 객관적으로 보겠다는 자세가 만들어 낸 소극적 언어 선택이었을 것이다. 그도 그럴 것이, 이쯤 되니 윤하도 본인에게 일어났던 일이 정말 현실이었는지 헷갈릴 정도였다. 이틀 전, 윤하가 거래처에서 나와 그 길로 다시 회사에 간 날. 윤하는 사무실에 앉아 있는 다른 직원들에게는 눈길도 주지 않은 채 모아이 부장 자리로 가 큰 소리로 물었다.

"이게 어떻게 된 겁니까, 부장님?"

모아이 부장이 자리에서 일어나더니 의아한 목소리로 말했다.

"어, 윤하씨, 무슨 일이야? 이제 안 나오는 거 아니었어? 사직서 수리는 이미 다 했는데. 왜, 뭐 두고 간 거 있어?"

"거래처에서 연락받은 거 없다는데요? 오늘부터 그쪽으로 가라고 하셨잖습니까?"

"거래처라니? 그건 또 무슨 말이야? 어제 윤하씨가 나 찾아와서 회사 분위기상 더 다니기 힘들 것 같다고 사직서 냈잖아. 우리사이에 그거 말고 다른 얘기가 오간 게 있나?"

윤하는 너무 당황한 나머지 무언가 목에 걸린 듯 아무런 말을 할 수가 없었다. 순간 그 상황을 지켜보던 사람들은 전부 수면 아래로 잠기고, 모아이 부장과 윤하만이 융기한 섬 위에 남아 있는 것 같았다. 윤하가 마주한 건 어떤 말을 던져도 부딪쳐 흩어지는 돌. 모아이 부장은 수시로 갈아 끼우는 것 같았던 그 풍부한 표정들을 모두 지운 채 딱딱한 석상의 모습으로 우뚝 서 있었다.

5.

집안은 낯설었다. 퇴직한 뒤로 있는 듯 없는 듯 지내던 아버지도, 내일 새벽같이 나가려면 이미 잠자리에 들어야 했을 엄마도, 이제 일어나 하루를 시작했을 윤상도 명절마냥 둥그렇게 앉아 화기애애하게 웃고 있었다. 저녁 시간이 훌쩍 지나 집에 들어온 윤하는 그 광경이 어색해 자기도 모르게 뒷걸음질을 쳤다. 그때 오른쪽으로 보이는 주방에서 번쩍이는 섬광 같은 게 느껴졌다. 윤하가 고개를 돌리자, 집안 전체에 깔린 체리 색 몰드와는 전혀 어울리지 않는 메탈 냉장고가 놓여 있었다. 마치 20세기의 어느 가정집에 22세기에서 온 타임머신이 자리하고 있는 것만 같은 부조화였다.

"왔냐?"

가방도 내려놓지 못하고 서 있는 윤하를 알은체한 건 윤상이었다. 윤상은 자기가 만들어 낸 이 자랑스러운 장면을 보라는 듯 으쓱한 미소를 짓고 있었다.

"저건 뭐야? 산 거야?"

"그럼 샀지, 저 큰 걸 주워 왔겠냐?"

"무슨 돈으로?"

윤상은 빙글빙글 웃으며 뜸을 들였고, 그 사이에 엄마가 끼어들었다.

"얘가 유튜븐가, 유튜번가, 그걸 하면서 돈을 벌고 있단다. 얼마 전부터 냉장고 이상한 거 알고 낮에 AS 기사도 불러봤는데, 이건 새로 사는 게 더 싸다고 해서 이미 주문도 해놨었다더라. 이 녀석이 말도 안 하고! 잘못하면 윤하도 살 뻔했잖아."

엄마는 윤상을 향해 눈을 흘겼지만, 입꼬리는 천장을 뚫을 기세였다.

"잘했네."

윤하는 무심하게 한마디를 던지고 방으로 들어갔다. 불을 켜고 가방을 내려놓은 다음 손으로 관자놀이를 짚었다. 열이 오르는 건지 눈이 뜨거웠고 두통이 해일처럼 밀려왔다. 옷도 갈아입지 않은 채 잠시 침대에 걸터앉아 있는데, 밖에서 각자 방에 들어가는 소리가 나더니 윤상이 윤하의 방문을 열었다.

"왜?"

"너 뭔 일 있냐?"

"없어."

"없기는 인마, 이 좋은 날 얼굴이 죽상인데."

좋은 날. 윤하는 윤상이 뱉은 단어를 입으로 나지막이 굴려봤지만, 모래를 씹은 것처럼 버석거리는 느낌만 났다. 윤상은 윤하 앞으로 와 바닥에 철퍼덕 주저앉으며 침대 위에 있는 윤하를 올려다봤다.

"너 회사에서 뭔 일 있었지?"

"아, 없다니까."

윤상은 눈을 굴려 윤하를 한 번 더 살폈다. 그리고 분위기 때문에 참았지만 이제 어쩔 수 없다는 듯, 만면에 미소를 머금으며 들뜬 목소리로 말했다.

"그래, 네가 없다면 없는 거지. 야, 그런데 뭔 일 있어도 괜찮아. 내가 말했지? 살림에 보탬 좀 되겠다고. 유튜브 수익, 소액이지만 요즘 꼬박꼬박 정산된다. 이게 한 번 들어오기가 어려워서 그렇지, 들어오기 시작하면 봇물 터지는 거 순식간이야. 지금처럼 업로드하면서 사고만 안 치면 승승장구하게 될 수밖에 없는 구조라니까? 야, 봐봐라. 이제는 남들 앞에서 썰 풀면서 잘 먹는 거, 그거 재능이야. 그게 돈이 되는 세상이라고! 지금까지 이 경직된 사회 구조가 나 같은 인재를 백수로 치부했지만, 두고 봐라. 드디어 네 형이 제대로 형 노릇 해줄 테니까."

그동안 윤하가 야, 너, 쟤, 이런 호칭으로 불러도 그러려니 했던 윤상이 냉장고 하나를 사 오자 스스로를 떳떳하게 '형'이라 불렀다. 윤하는 그런 윤상을 복잡한 눈으로 내려다보았다. 윤하의 시선을 느낀 윤상은 몸을 틀어 바닥을 짚더니 벌떡 일어섰다. 윤상의 눈높이를 따라 윤하가 자연스럽게 고개를 들었다. 윤상이 윤하의 어깨에 손을 얹으며 말했다.

"그러니까 너 진짜 뭔 일 있어도 괜찮아. 너 솔직히 숫자 싫어서 문과 간 거였잖아. 그런데 손익계산서인가 재무제표인가 뭐 그런 것만 보고 있다며. 이제 너도 너 하고 싶은 거 다시 생각해 봐, 안 늦었어. 밖에 나가서 연애도 하고, 결혼도 해. 부모님도 걱정하지 마. 내가 받은 만큼 할 거야. 너도 좀 이기적으로 살아. 그래야 진짜 네 길이 보여."

밤하늘이 맑았다. 그러나 별은 보이지 않았다. 그믐이 가까워져 오는지 얇은 달만 왼쪽으로 기울어 있었다. 윤하는 집에서 나와 좁은 골목을 걸었다. 언덕에 있는 윤하의 집에서는 골목을 따라 오른쪽으로 한 번, 다시 왼쪽으로 한 번 꺾어 조금 더 직진해야 대로가 나왔다. 윤하는 그 길을 걸으며 자신이 방금 느낀 감정의 실체를 알아내려 애썼다. 한편으로는 어이가 없으면서도, 한편으로는 손끝부터 시작해 어딘가 저릿해 오는 것 같은 기분. 윤하는 두통이 있는 머리를 한 번 더 짚은 다음 뭔가 떨쳐 내기라도 하려는 듯 걸음을 빨리했다.

밤에도 쉴 새 없이 차들이 다니는 대로변에는 커다란 편의점이

도심의 등대처럼 불을 밝히고 있었다. 윤하는 편의점으로 들어가 두통약과 생수 하나를 집어 들었다. 편의점 한쪽에는 사람들이 간편하게 식사할 수 있는 테이블 몇 개가 놓여 있었는데, 교복 입은 학생 두 명이 마주 앉아 컵라면을 먹고 있었다. 그 모습이 눈에 들어오자, 윤하는 급격한 허기를 느꼈다. 그러고 보니 오늘 아침부터 아무것도 먹은 게 없었다. 윤하는 컵라면 코너로 가 잠시 고민하다가 육개장 사발면을 들고 계산대로 갔다.

창가에 자리 잡은 윤하는 라면이 익는 동안 밖을 바라봤다. 오가는 차량 건너편으로, 커다란 설렁탕집과 그 옆에 자리한 작은 슈퍼가 보였다. 설렁탕집은 24시 영업인지 지금도 불을 밝히고 있었지만, 낡은 슈퍼 간판 아래에는 '임대'라는 두 글자가 붙어 있었다. 이 편의점이 생기기 전에는 윤하도 종종 가던 곳이었는데, 생각해 보니 발길을 끊은 지 오래였다. 어떤 것은 사라지고, 무언가는 생겨났다. 시간은 도시의 외양을 바꾸고 사람의 처지를 변모시켰다. 윤하는 생각했다. 같은 업종으로 재취업은 힘들겠다고. 작은 회사였고, 작은 업계였으니.

사발면 뚜껑을 젖히자 뜨거운 김이 한 번에 올라왔다. 해고된 날 먹었던 멀건 국과 다르게, 수프가 몽땅 풀어진 라면 국물은 지나치리만큼 농도가 짙었다. 그 붉은 빛을 보자 윤하는 갑자기 그 무엇도 입에 넣기가 싫어졌다. 아까는 그렇게 먹음직스럽던 이 음식을 그대로 버려 버리고 싶었다. 윤하는 젓가락을 내려놓았다. 어쩌면 정말 아무 일을 하지 않아도 괜찮을지 모른다. 이제, 다시 형이 있으니까. 못 먹겠다고 울음을 터뜨리면 아무렇지 않게 와서 면발을 후루룩 씹어 삼켜줄 형이.

06

길치, 경주혜

채현재

소설

채
현
재

제 나름의 방황을 끝내고, 이제 막 사회생활을 시작한 평범한 회사원이다. 적당히 잘하고, 적당히 좋아하는 건 많지만 특출난 재능이나 특별한 관심사는 없다. 앞으로 무얼 하며 살아가야 할지에 대한 고민은 끝이 없다는 것을 막 깨닫고 있다.

그렇지만 그 방황의 시간 덕분에 스스로가 어떤 사람인지는 전보다 잘 알게 되었다. 그놈의 MZ. MZ답게 발랄하고 당돌하게 살고 싶다. 밝은 날을 좋아하고, 상큼한 걸 좋아하고, 사람 만나기를 좋아한다. 맛있는 걸 먹는 걸 좋아하고, 조금이라도 새로운 것을 간간이 경험하지 않고는 못 배긴다. 여행, 외국어, 요리, 악기 연주, 글쓰기, 그리고 운동까지. 하고 싶은 것이 너무나 많지만, 그 모든 것을 다 해내기엔 체력이 조금 부족하다. 그래서 뭐든지 일단 해 보되, 너무 힘주지 않기로 했다. 글을 쓰는 것도 그렇다. 시작은 미미할 수밖에 없으니까!

길치, 경주혜

사고

선두를 달리던 경주마가 우두커니 멈춰 선 것은 결승선을 겨우 1m 남겨 둔 지점이었다.

"맨날 일등 하던 녀석이라 10만 원이나 배팅했는데, 에잇 돈 날렸네!"

관중석에선 탄식과 환호가 일시에 터져 나온다. 순식간에 다른 말들이 결승선을 통과하면서 그의 옆에는 흙먼지가 흩날린다. 펜스 밖에 있던 의사들이 헐레벌떡 달려온다.

발 한 번만 더 구르면 우승이었는데, 그날은 어쩐지 다리가 꿈쩍도 하지 않았다. 이상한 일이다. 그날 이후 주혜는 3달간 온갖 검사를 다 받았다. 온몸을 샅샅이 살펴봤지만, 근육에도, 폐에도, 건강엔 아무 문제가 없단다. 며칠 전까지만 해도 주혜에게 용기를 북돋아 주던 코치는 이제 주혜의 눈을 똑바로 보지 못한다.

캄캄한 새벽, 트랙에 아무도 오지 않는 시간, 주혜는 슬그머니 이불을 박차고 나간다. 까치발로 발소리를 죽여가며 트랙으로 향한다. 힘차게 대기장 문을 박차고 나온다. 곱게 흙이 깔린 트랙에 한 발을 내딛는다. 출발선에 도착해 숨을 크게 들이쉰다.

주혜가 왔다 간 트랙 위엔 대기장부터 출발선까지 발자국이 새겨져 있다. 발자국이 마치 똬리 튼 뱀 모양 같다. 빛이라곤 달빛밖에 없는데, 굽이치는 모양이 선명하다.

출발지

마지막 경기로부터 3달 하고도 일주일이 더 지난날 오후 2시, 주혜는 경주마 생활에 마침표를 찍었다. 더 이상 쓸 일 없는 눈가리개와 번호표들을 정리한다. 차마 버리지 못한 초록색 눈가리개 하나만은 짐가방 깊숙이 넣어 놓는다.

다음날 동이 틀 무렵, 주혜는 기숙사에서 짐을 싸서 나왔다. 15분쯤 걸었을까. 주혜의 앞에 암암역이 보인다. 7년 전, 처음으로 갤롭대학교에 입학하던 날에도 주혜는 똑같은 짐가방을 들고 같은 지하철역 앞에 서 있었다. 주혜가 대학생으로, 직업 경주마로 갤롭대 기숙사에 살던 7년이라는 시간 동안 수백 번도 더 지나친 곳이다. 7년 동안 갈색 지하철 간판이 조금 바랬고, 입구 옆 공원 나무 벤치의 색이 옅어졌다. 그렇게 당연한 세월의 흔적 말고는 변한 게 하나 없는데, 주혜에게는 암암역이 오늘따라 낯설게 느껴진다. 그 시간 동안, 암암역은 주혜에게 언제나 출발지이자 목적지였다. 그렇지만 오늘부터는 아니다. 이제 주혜에게 이곳은 출발지이지만, 목적지는 아니다.

많은 동물들이 주혜 옆을 빠르게 지나쳐 간다. 셔츠에 넥타이를 맨 호랑이가 눈에 띈다. 그 뒤를 따라 경찰 제복을 입은 악어가 늠름하게 걸어간다. 뽀글머리 사자 아줌마가 갈기를 흩날리며 뛴다. 쿵 쿵쿵 쿵쿵쿵 쿵쿵쿵쿠쿵. 쿵쿵쿵 소리가 점점 커진다. 온갖 동물들이 암암역으로 달려가고 있다. 저 모든 이에게 이곳은 출발지이자, 목적지이다.

무심결에 익숙한 암암역으로 걸어 왔지만, 주혜는 갈 곳이 없다. 그녀에게는 출발지만 있을 뿐, 목적지가 없다. 온갖 동물이 주혜를 지나친 자리, 주혜는 차마 개찰구를 넘어가지 못했다. 잠시 멍하니 서서 고민한 끝에 역사를 나왔다. 달리 할 것도, 갈 곳도 없는 주혜는 터덜터덜 공원으로 향했다.

SOS

색 바랜 공원 벤치에 앉아, 바닥에 떨어진 나뭇잎을 보며 주혜
는 생각했다.

'나는 길을 잃었다.'

좀 전만 해도 그랬다. 모두가 갈 곳이 있었고, 그곳을 향해 가는
길을 알았다. 딱, 주혜만 빼고. 주혜는 혼자서는 도저히 어떻게 해
야 할지 모르겠다. 조언이 필요하다. 주혜는 벤치에 앉아 누구에게
먼저 연락하는 것이 좋을지 생각했다. 주혜의 머릿속엔 스무 살 때
부터 항상 조언을 구하곤 했던 깡총이 제일 먼저 떠올랐다. 주혜는
메시지를 몇 번이나 썼다 지웠다, 했다. 그렇게 십여 분을 망설이
던 주혜는 김깡총에게 메시지를 보낸다.

- 나 오늘부로 경주 그만뒀어. 기숙사에서 짐도 싸서 나왔는데,
어디로 가야 할지 모르겠어. 네 도움이 필요해.

갤롭대 경주과 새내기 시절부터, 주혜의 눈에 비친 깡총은 언제
나, 뭐든지 시원시원하게 결정하고 실행하는 친구였다. 학부생 시
절 주혜는 단거리이든 2000m 장거리든 관계없이 모든 과목의 경
주를 열심히 준비하는 모범생이었다. 누가 시키지 않아도, 스스로
눈가리개를 쓰고 앞만 보고 달렸다. 반면, 깡총은 자기가 잘 할 수
있는 과목만 쏙쏙 골라 열심히 했다. 단거리 과목은 열심히, 장거
리는 최소한으로 준비했다. 깡총은 장거리 과목 수업 때마다 항상

360도를 볼 수 있는 눈으로 이곳저곳을 살피며 뛰었다. 그 덕분일까, 깡총은 경주과와 무관한 진로를 선택해 동기 중 가장 빠르게 사회생활을 시작했다.

대학교 3학년 어느 날, 깡총은 주혜에게 말했다.

"난 달리기가 적성에 안 맞아. 난 작은 스타트업을 유니콘으로 키우는 사람이 되고 싶어."

그로부터 정확히 1년 3개월 후, 깡총은 규모는 작지만, 엄청난 투자를 받으며 성장하고 있는 유명 스타트업의 정규직 직원이 되었다. 그 회사의 정규직 직원이 되기 위해 깡총은 3곳의 회사에서 인턴을 했다. 첫 회사에서 다음 회사로 점프, 그다음 회사로 점프. 그렇게 점점 더 좋은 회사로 옮겨 가며 정착한 곳이 지금의 회사다. 3개월의 인턴 생활을 끝내고 처음 정규직으로 전환되던 날. 그날도 둘은 깡총의 자취방에서 저녁을 먹었다.

식사를 마친 깡총은 기지개를 켜며 말했다.

"우리 대표님 진짜 멋있는 사람이야. 이거 원래 외부에 얘기하면 안 되는 건데, 너한테만 얘기해 줄게. 이게 우리 회사 홈페이지고, …."

깡총은 업무용 노트북을 가져와 주혜에게 본인이 작성한 업무 자료를 보여주었다. 그렇게 한참을 회사 얘기를 했다. 그런 깡총을 보는 주혜는 자신도 모르게 입꼬리를 씨-익 올리며 환하게 웃었다.

지금쯤이면 깡총은 회사일 텐데. 주혜가 생각하는 찰나, 깡총에게 바로 답장이 왔다.

-나 6시에 퇴근하니까, 여섯 시 반까지 우리 집으로 와. 에버시 초식구 클로버길 115-78, 1104호. 역사역 도보 15분 거리야.

주혜는 깡총에게 연락하길 잘했다고 생각했다. 역시 깡총은 답장도 시원시원하게 한다. 잘나가는 커리어우먼은 뭔가 달라도 다르다. 왠지 깡총이 답을 줄 것 같다.

길 잃은 자와 꿈꾸는 자

주혜는 6시까지 역사역에 도착해야겠다고 생각한다. 그때까지 시간이 많이 남았는데, 뭘 해야 할지 모르겠다. 툭-툭-. 주혜는 발밑의 자갈을 괜스레 걷어찬다. 약속 시간 전까지 주혜에게는 여전히 목적지가 없다. 아무래도 당장 누군가를 만나야겠다는 생각이 들었는지, 주혜는 얼른 휴대전화를 다시 꺼내 들었다. 이번에는 망설이지 않고 전화를 건다. 상대방은 신호음이 일곱 번쯤 울리고 나서야 전화를 받았다.

"길인아, 뭐해? 잘 지내?"

"응…." 길인의 목소리가 반쯤 잠겨 있다.

큼큼. 아아. 목을 가다듬는 소리가 들린다.

"밤새 작업하다가 늦게 자는 바람에 이제야 일어나서 이래. 하

하. 근데, 무슨 일 있어?"

"아 별건 아니고 …. 아니, 사실 나 경주 그만뒀어."

"아…, 그랬구나. 지금 바쁘지 않으면, 내 작업실로 올래? 같이 밥이나 먹자. 사반역 도착하면 전화해."

통화가 끝난 후, 주혜는 지하철역으로 간다. 주혜가 앉았던 자리엔 발아래 흙이 움푹 패었다.

오전 9시 21분. 주혜는 사반역에 내린 후 길인에게 전화를 걸었다. 길인은 사반역 9번 출구로 나와서 세 블록 직진한 후에, 왼쪽으로 꺾어서 직진하면 오른쪽에 CU가 보일 거라고 했다. 그 건물에 작업실이 있다고 했다. 길 찾기는 쉽겠지만, 초행길이니 20분 정도 후에 마중 나오겠다고도 했다. 처음 오는 사람들은 다들 그 정도 걸려서 찾아오는 거리라고. 그 얘기를 들은 주혜는 까짓것 그 정도 거리는 자신의 걸음으로는 15분이면 충분할 것이라고, 생각했다.

9시 40분. 주혜의 휴대폰이 울린다. 주혜는 분명 직진, 좌회전, 직진을 했는데 CU가 왜 보이지 않는 것인지 당황스럽다. 휴대폰이 한 번 더 울린다. 길인의 전화다. 주혜는 전화를 받아 초행길이라 헤매는 것이니 조금만 기다려 달라고 말한다.

9시 56분. 주혜는 아직도 길인의 작업실을 못 찾았다. 긴 다리로 휘적휘적 걸은 지도 30분이 넘게 지났는데 아직 CU가 보이지 않는다니. 뭔가 잘못된 것이 틀림없다. 주혜는 땀이 삐질삐질 난

다. 자기가 서 있는 곳이 대체 어디인지도 모르겠다. 주혜는 결국 길인에게 전화를 건다.

"주혜야, 지금 눈앞에 보이는 걸 말해봐. 내가 데리러 갈게."

"건널목이랑 키 큰 나무, 파란 트럭…?"

"…하, 너 길치구나. 그런 거 말고 건물, 가게 이름 이런 걸 말해봐. 뭐 식당 같은 거 없어?"

"어…. 사반분식…?"

경기장 밖의 경주혜는 길치다. 진짜, 길 못 찾는 길치. 주혜가 똑같은 경기장 트랙만 도는 사이에 주혜를 제외한 세상은 너무나 빠르게 흘러갔고, 주혜는 진짜 길을 찾는 방법을 잊어버렸다.

5분쯤 지났을까, 건너편에서 길인이 성큼성큼 길을 건너 주혜에게 다가온다.

'아니, 모퉁이만 돌아가면 우리 건물인데! 이걸 못 와?' 길인은 목구멍까지 올라왔던 타박을 삼키고 주혜에게 묻는다.

"여기 꽤 맛있는데, 떡볶이나 먹고 갈래?"

자리에 앉자마자 주혜는 물부터 벌컥벌컥 들이켰다. 좀 살 것 같다. 주혜는 이제야 길인의 모습이 눈에 들어온다. 밤새 작업했다더니 어딘지 푸석푸석한 얼굴이다. 퀭한 눈의 길인은 익숙한 듯 떡볶이 하나, 사반김밥 하나를 주문한다. 떡볶이 국물에 마지막 남은 김밥 꽁다리를 푹 찍는 길인에게 대뜸 묻는다.

"넌 어쩌다 음악을 하게 된 거야? 그게 네 꿈이었어?"

"응. 지금도 여전히 음악으로 먹고사는 게 내 꿈이야."

활짝 웃으며 대답한 길인은 마지막 한 입을 야무지게도 먹는다. 김밥을 꿀꺽 삼킨 길인은 주혜에게 작업실을 보여주겠다며 앞장선다.

암막 커튼을 친 길인의 작업실 내부는 대낮에도 어둑하다. 주혜는 이 어둠에 길인의 눈 밑이 물든 건 아닐까, 생각했다. 길인은 커튼을 걷으며 말한다.

"자, 여기가 내 꿈의 공간이야. 어때?"

꿈을 말하는 목소리엔 생기가 넘친다. 길인을 바라보던 주혜는 고개를 갸우뚱한다. 분명 분식집에선 길인의 눈 밑에 어둠이 내려 앉았던 것 같은데, 이상하게 지금은 퀭한 눈이 온데간데 없이 사라졌다. 길인은 작업실 소파 한편 유달리 움푹 꺼져 있는 자리에 앉았다. 소파 앞 탁자엔 어젯밤 먹다 남긴 컵라면 그릇과 핫바 꼬치가 널브러져 있다. 스피커와 모니터가 놓인 책상에는 길인이 좋아하는 온갖 아기자기한 것들이 진열되어 있다.

주혜는 길인네 작업실 소파 옆에 놓인 높은 손님용 의자에 앉았다. 길인의 작업실답게 손님용 의자들은 하나같이 소파보다 높이가 3배쯤 높았다. 꿈을 찾는 방법을 묻는 주혜에게 길인은 그냥 좋아하는 것은 무엇이든지 다 떠올려 보라고 말한다. 주혜도 앞만 보고 달리느라 잊고 있던 것일 뿐, 분명 좋아하는 게 있을 것이라고. 자신이 그랬듯이 좀 돌아가더라도 결국엔 정말로 좋아하고, 가슴 뛰는 일을 찾을 수 있을 것이라고. 그리고, 꼭 그런 일을 하라고. 주혜는 작업실을 다시 한번 둘러봤다. 한눈에 보아도 이 작업실은 길인이 좋아하는 것들로 가득 차 있다. 주혜는 작업실이 어지럽고 지저분하지만, 꽤 멋지다고 생각했다.

주혜는 행복해 보이는 길인을 보며 대학 시절 길인의 모습을 떠올렸다.

길인은 그 누구보다 긴 다리를 타고났다. 그는 눈에 띄게 긴 목도 타고났지만, 다들 긴 목 따위는 대수롭지 않게 여겼다. 사람들은 그저 지나가는 말로, 목이 길어 우아하다고 할 뿐이었다. 달리기 실력이란 게 워낙 중요한 세상에서 태어난 탓이다. 어린 시절부터 모두가 길인에게 너는 갤롭대 경주과에 가면 되겠다고 말했다. 그래서 길인은 갤롭대 경주과로 진학했다. 그게 패인이었다.

목이 긴 탓이었을까. 앞만 보고 달리기에 길인에게는 보이는 것이 너무 많았다. 주로에 서면 저 멀리 꽃나무가 눈에 들어왔고, 옆에 선 동기들의 긴장한 모습이 눈에 들어왔다. 대학생 길인에게 경주 트랙이란, 자기 목에 깁스를 채우는 병동처럼 느껴졌다.

대학교 2학년 이른 봄 어느 날, 단거리 경주 수업이 끝나고 기숙사로 돌아가는 길이었다. 길인은 주혜에게 대뜸 트랙 너머 음대 건물에 꽃을 보러 가자고 했다.

"주혜야, 저기 음대 건물에 꽃들이 참 예쁘게 피었어. 너무 아름다워."

주혜는 길인이 음대 건물은 또 언제 본 건지, 거기 꽃이 피었다는 건 또 어떻게 안 건지 알 수가 없었지만, 잠자코 길인을 따라갔다. 그날따라 길인의 목소리가 유달리 촉촉했던 탓이다.

"주혜야, 여기 나무 꼭대기에 꽃망울이 터지고 있어! 저기 볕 아래 나무엔 벚꽃이 만개했는데, 여기 그늘 아래 나무엔 이제 막 꽃이 피려고 하다니. 똑같은 나무인데, 너무 신비롭지 않니?"

"오, 저기 또 다른 꽃이 있어! 꽃잎이 수줍게 물들었어!"

주혜가 보기에도 꽃이 예쁘긴 했다. 그렇지만 그렇게까지 호들갑 떨 일은 아니라고 생각했다. 주혜는 길인을 이해할 수 없었다. 그리고 며칠 후, 길인은 졸업만 해도 탄탄대로를 걷는다는 갤롭대를 자퇴했다. 바보 같은 녀석. 주혜는 길인을 여전히 이해할 수 없었다. 내 친구지만 참 이상한 녀석이라고 주혜는 생각했다.

길인은 소파에서 몸을 일으키며 주혜에게 감자칩을 먹을 것이냐고 물었다. 주혜는 고개를 끄덕였다. 길인은 과자봉지를 들고 와 소파에 앉았다. 길인은 음악이 돈을 많이 벌어다 주진 못하지, 라고 말했다. 오히려, 계속 경주를 하고 갤롭대를 졸업했으면 지금보다 돈을 많이 벌고 있었을 거라고. 그렇지만 길인은 그때의 결정도, 경험도 후회하지는 않는다고 했다. 길인의 눈빛엔 한 치의 거짓도 없다. 길인은 주혜에게 자기는 긴 목을 쪽 빼고 걸으며 구석구석을 톺아보며 살아야 하는 존재란 걸, 오히려 눈가리개를 하고 달린 덕분에 깨달았다고 이야기한다. 그런 말을 하며 길인은 자신의 작업실을 새삼스럽게 주욱 훑어보았다. 작업실을 둘러보는 눈빛이 더없이 따스하다. 주혜의 눈에 비친 길인은, 그 어느 때보다 반짝였다.

꿈속에서 마주한 3개월 전의 나

오후 5시가 좀 넘었을 즈음, 주혜는 길인의 작업실에서 나와 다시 사반역으로 왔다. 이번엔 길인이 길잡이가 되어 손쉽게 사반역에 도착했다. 주혜가 길인과 인사를 나누고 개찰구를 통과하자마자, 역사역 방면 열차가 들어서는 소리가 들렸다. 주혜는 헐레벌떡 달려가 열차에 올라탔다. 털썩 자리에 앉은 주혜는 어딘가 씁쓸한 마음이 든다.

'나도 그렇게 반짝거리던 때가 있었다. 나는 그 반짝임이 영원할 줄 알았다.'

몸도 마음도 지친 주혜는, 앞으로 몇 정거장이나 남았는지 확인한다. 역사역까지는 아직 13정거장이나 남았네, 라고 생각하자마자 주혜의 눈이 스르륵 감긴다.

경기 시작 30분 전, 예시장의 붉은 트랙에는 여덟 경주마가 저마다의 자태를 뽐내고 있다. 왼손에는 경마지, 오른손에는 컴퓨터용 사인펜을 손에 쥔 경마꾼들이 서넛씩 모여 쑥덕인다. 무리마다 의견은 분분해도, 가장 많은 이의 눈길이 향하는 건 단연코 주혜이다. 그녀의 꼬리와 갈기엔 윤기가 흐르고, 다크초콜릿 같은 피부는 쩍쩍 갈라진 다리 근육의 결대로 반짝인다. 주혜는 최고의 명문 갤롭대학교 경주과 수석 졸업생이다. 지난 1년간 치른 열두 번의 경기에서 무려 아홉 번 우승했다.

주혜는 그저 예시장에 서 있을 뿐인데, 자신의 이름을 부르는 경마꾼들의 목소리가 들렸다. 그녀의 어깨가 올라간다.

럭키 세븐 번호표를 달고, 눈가리개를 하고 경주로에 들어선다. 흰색 펜스를 지나쳐 트랙에 발을 내딛는다. 발밑의 황토색 트랙은 언제나 그랬듯 오와 열을 맞추어 가지런히 정돈되어 있다. 눈가리개 때문에 옆이 보이진 않지만, 관중석이 시끌벅적하다. 주혜에게 앞만 보고 달리는 건 14살 때부터 해 오던 일이다. 경주혜, 그녀에게 달리기란 삶 그 자체였다.

'오늘 또 한 번 스타가 되어주지.'

이번 역은 역사역, 역사역입니다. 내리실 문은 오른쪽입니다. 에버 성형외과로 가실 분들은 역사역 10번 출구로 가시기 바랍니다. This stop is,…

꾸벅꾸벅 졸던 주혜는 안내방송을 듣고 화들짝 잠에서 깬다.

헤맴

지하철은 주혜가 잠에서 제대로 깨기도 전에 역사역에 도착했다. 주혜는 후다닥 지하철에서 내렸다. 지하철에서 내리긴 했지만, 여전히 잠이 덜 깼다. 정신이 없는 와중에도 마음이 싱숭생숭했다. 주혜는 자기가 진정으로 좋아하는 일을 찾아서 매일 매일 꿈꾸고 꿈을 이루며 살아가는 길인을 보며 심란한 마음이 들었다. 그런 와중에 찬란했던 자신의 과거 모습을 꿈속에서 마주하자 더 괴롭기만 했다.

역사역에 내린지 3분쯤 지났을까, 주혜는 머리를 푸드덕 좌우로 흔들었다. 그러고는 눈을 두어 번 끔뻑였다. 정신을 차린 주혜는 3번 출구를 찾아 두리번거린다. 주혜는 이번엔 진짜 길을 잘 찾아가겠다고 다짐했다. 혼자서도 길을 잘 찾아가려고 길인과 미리 예습도 했다. 혹시나 길을 잃을까 20분 정도 여유를 두고 역사역으로 왔다. 개찰구 바로 앞에 3번 출구 표지판이 있다. 3번 출구로 나가서 일단 두 블록 직진하고, 순대국밥집 끼고 좌회전…. 주혜는 미리 예습한 길을 중얼거리면서 역사를 빠져나왔다.

역사를 빠져나오자마자 주혜의 동공이 흔들린다. 3번 출구에서 바로 앞 건널목까지는 식당 4개 정도의 거리다. 그걸 본 주혜의 머릿속에 '두 블록 직진이라는 게, 이 블록 포함인가…?'하는 생각이 떠올랐다. 한 번 불안한 마음이 들자, 불안이 걷잡을 수 없이 커졌다. 이번엔 잘 찾아가 보려고 했는데, 시작부터 선택의 기로에 놓였다. 주혜는 첫 건널목을 지나기 전까지의 길을 한 블록으로 볼 것인지 말 것인지부터 결정해야 한다고 생각했다. 그런데 주혜는 어느 방향으로도 확신이 서지 않았다. 마음이 갈팡질팡하니, 한 발도 선뜻 내딛지 못했다. 그렇게 제자리에서 종종걸음만 하다가 5분이 더 흘렀다.

'이제는 진짜 어디로든 출발해야 해.'

주혜는 초조한 듯 핸드폰으로 시간을 확인했다. 아직 약속 시간까지 25분 정도 여유가 있었다. 주혜는 또 길을 잃을까, 무서웠지만 헤매거나 돌아오더라도 가 보기로 마음먹었다. 일단 길을 건넜다. 그리고 다시 깡총네 집으로 가는 방법을 중얼거렸다. 일단 두 블록 직진하고, 순대국밥집 끼고 좌회전…. 주혜는 길을 건넌 다음, 두 블록을 앞만 보고 씩씩하게 걸었다. 그런데 순대국밥집이 보이지 않았다. 주혜의 눈동자가 흔들린다. 주혜는 좀 더 고민하지 않고 무작정 출발한 것을 후회했다. 알고 보면 그저 한 블록 더 왔을 뿐인데, 주혜는 길을 못 찾는 스스로가 원망스럽기만 했다.

'분명 열 번도 넘게 지도를 확인했는데도 길을 잃다니.'

주혜는 남들은 지도를 한 번만 보고도 잘만 찾아가는 길을 자신만 헤매는 것 같다고 생각했다. 마음이 착잡했다. 마음만큼이나 무거운 발걸음으로 주혜는 한 블록 되돌아갔다. 그리고 거기서부터 다시 출발했다. 다시 출발할 땐, 그래도 단번에 길을 찾을 수 있지 않을까 살짝 희망을 품었다. 그런데도 길을 잃었다. 겨우 도보 15분밖에 안 되는 거리를, 30분 넘게 헤맸다.

경주혜는 길치다. 진짜 길치.

점프, 점프, 점프

6시 35분. 분명 6시도 되기 전에 역사역에 도착했다던 주혜가 아직도 깡총의 집에 도착하지 않았다. 불안해진 깡총은 주혜에게 전화를 걸었다.

"너 어디야?"

"모르겠어. 나 진짜 이번엔 혼자 길 찾을 수 있을 것 같았는데…."

주혜가 울먹이며 말했다. 코도 한 번 훌쩍였다. 주혜의 수화기 너머로 깡총이 현관문을 여는 소리가 들렸다. 그 사이 주혜는 오전에 길인이 가게 이름을 묻던 것이 떠올랐다.

"아, 나 지금 백조클리닝 앞이야."

"뭐? 거의 다 왔네! 진짜 코앞인데 거기서 멈춰버렸냐. 잠깐만 기다려 봐!"

통화를 끝낸 지 채 2분도 지나기 전에 깡총이 주혜의 어깨를 툭툭 쳤다. 깡총을 만난 주혜는 안도감이 들었다. 또, 오전과 달리 이번엔 혼자 힘으로 거의 다 온 자신이 대견했다. 그러면서도 정말 코앞까지 와 놓고 마지막에 포기한 것이 아깝다고 생각했다. 깡총과 인사하는 그 짧은 시간에 여러 감정이 교차했다.

깡총의 집으로 오는 길에 둘은 편의점에 들러 네 캔에 만원짜리 맥주를 샀다. 깡총의 집에 도착한 둘은 식탁에 앉아 맥주캔을 딴다. 깡총이 맥주를 한 모금 마시기도 전, 주혜는 깡총에게 오늘 길인을 만났던 이야기를 했다. 꿈을 이룬 길인이 너무 멋지고 부럽다고. 나도 새로운 꿈을 찾고 싶고, 좋아하는 걸 직업으로 삼고 싶다고. 깡총이 코웃음을 쳤다.

"꿈? 내 꿈은 퇴사야. 꿈 같은 건 필요 없어. 꿈이라고 생각했던 것도 일이 되면 빛을 잃어버리는 법이야. 어차피 일은 하기 싫은 거야. 그냥 뭐든 해서 먹고 살면 돼."

주혜에게 한 마디 건넨 깡총이 맥주를 벌컥 들이켰다. 예상치 못한 깡총의 대답을 들은 주혜의 눈이 휘둥그레진다.

"너 지금 하는 일, 되게 하고 싶던 일 아니었어? 22살 때부터 하고 싶다고 노래를 불렀던 일 하면서 성과도 잘 내고 있는 거 아니야?"

맥주 캔을 식탁에 내려놓으며 깡총은 한숨을 푹 내쉬었다.

"그랬었지. 이걸 옛날엔 되게 하고 싶어 했었지. 뭐, 커리어도 괜찮고. 근데 그러면 뭐해? 회사 가는 게 끔찍한데."

깡총은 꿈 많던 20대 초반의 자기 모습을 기억하는 주혜를 보며, 지금 회사에 처음 인턴으로 입사했던 날을 떠올렸다. 스무 명 남짓한 사람들이 근무하던 정원 딸린 작은 건물. 사옥의 첫인상은 회사라기 보다는 주택을 개조한 카페에 더 가까웠다. 대표와 파트

너 4명을 제외하고는 모두 한 공간에 모여 있었다. 사람들은 커다란 책상에서 따로 또 같이 일에 열중하고 있었다. 동료들끼리 파티션으로 서로를 가로막지 않고 이야기 나누는 모습이라니. 깡총은 따뜻하고 열정 넘치는 사람들로 가득 찬 그 공간과 사랑에 빠지지 않을 수 없었다. 그때 그녀는 얼른 저 화목한 사람들 사이에 녹아들어야겠다고 생각했다.

사무실 가운데 커다란 책상에서 조금만 눈을 돌리면 대표님의 집무실이 보였다. 사무실 어느 곳에서도 투명한 유리 너머로 안이 훤히 다 보이는 공간이었다. 블라인드가 있었지만, 걷혀 있었다. 그걸 본 깡총은 이 회사에선 대표님과 직원들이 정말 격의 없이 편하게 지내는구나, 하고 생각했다.

처음 대표님의 사무실에 들어섰을 때 가장 먼저 눈에 들어왔던 것은 책장에 빼곡히 꽂힌 업무 관련 서적들이다. 책장 옆, 책상 뒤 벽면은 각종 상패와 스크랩된 기사들로 가득했다. 동경하던 사람이 이제는 내 상사가 되어 나와 대화를 나누고 있다는 게 얼마나 감격스러웠는지 모른다. 심장이 설렘에 쿠궁 쿵 쿵 뛰었다. 그 와중에도 대표님이 나를 보며 하시는 말씀을 한마디도 놓치지 않으려고 얼마나 애를 썼던지. 대표실을 나서며 문고리를 잡는 손에는 땀이 흥건했다.

잠시 추억에 잠겼던 깡총은 식탁 의자에서 몸을 일으켜 냉장고로 향했다. 그 새 맥주 한 캔을 벌써 다 비웠다. 냉동실에서 차가운 맥주를 한 캔 꺼내며 주혜에게도 한 캔 더 갖다줄까, 묻는다. 깡총은 이제 와 생각해 보니, 그땐 내가 참 순진했다 싶다. 새 캔을 따며 주혜에게 자신의 회사 생활을 이야기한다.

딸깍-

일 자체는 재밌다. 항상 그랬다. 지난 4년 동안 회사도, 직장인으로서의 깡총도 많이 성장했다. 깡총은 3년 차까지 저녁도, 때로는 주말도 반납해 가며 일했다. 그 덕에 경력이 오래되지 않았음에도 업계에서 능력을 인정받고 있다. 그래서인지 심심치 않게 스카우트 제의도 받는다. 스무 명 남짓하던 직원도 그간 5배로 늘었다. 분명 꿈꿔왔던 대로 작은 회사를 대단한 곳으로 키워가고 있다. 그러면 뭐하나? 내가 행복하지 않은데.

대표는 겪으면 겪을수록 이상한 사람이다. 별걸 다 간섭한다. 다른 성별의 동료와 친하게 지내면 둘이 사귀냐고 묻는다. 찬 음료 먹으면 몸에 나쁘다며, 허락도 없이 동료의 뜨거운 커피와 섞어버린다. 건강검진료 지원을 해 줄 것도 아니면서, 모든 동료가 있는 자리에서 남의 장기 건강을 꼬치꼬치 캐묻는다. 그렇다고 되게 능력이 있는 것 같지도 않다. 그저 허세만 가득해 책장에 책을 한가득 꽂아 놓았다. 4년 동안 책 한 권 읽는 걸 본 적이 없는데. 아주 미운 점투성이다.

오늘 아침에도 그 감옥 같은 곳에 발을 들여야만 했다. 프라이버시라고는 눈곱만큼도 없는 공간. 단 한 순간도 혼자 오롯이 집중할 시간을 안 주는 회사. 더 이상 못 다니겠다고 매일같이 생각한다. 칸막이라도 좀 있으면 나을 것 같은데, 앞뒤 양옆 사람이 신경 쓰여서 자리에 앉아 있으면 숨이 막힌다. 대표실은 또 어떤가. 투명한 유리 벽 때문에 대표는 자기 자리에 앉아서도 언제든 우리를 볼 수 있다. 이러니 회사가 싫다.

깡총에게 이제 이 일은 더 이상 꿈이 아니다. 어느새 꿈 같은 건 잊어버렸다. 솔직히, 이제 그냥 퇴사하고 싶다.

어느새 두 캔째 비워버린 깡총이 한숨 쉬며 말한다.

"처음엔 설레고 열정이 가득해도, 꿈이란 건 시간이 지나면 바래기 십상이야. 꼭 꿈을 꿀 필요는 없어. 꿈이 일이 되면 꿈도 싫어질 수 있다고. 그러니까 꼭 꿈 같은 걸 찾을 필요는 없어. 그냥 먹고 살면 되는 거지."

깡총은 꿈에 대해 길인과 전혀 다르게 이야기한다. 깡총이 말한 이야기는 모두 자신이 경험한 사실이다. 그 경험으로부터 얻은 교훈도 일리가 있다. 그렇지만 꿈이 없다면 어떤 일을 해야 하는 것인지, 주혜는 혼란스럽다.

주혜가 생각에 잠긴 사이, 갑자기 초인종 소리가 들렸다. 인터폰 화면에 익숙한 얼굴이 보인다. 갤롭대 재학시절 주혜, 깡총과 기숙사를 같이 썼던 송강매다. 의아해하는 주혜에게 깡총이 내가 불렀어, 하고 말한다. 주혜는 전혀 예상치 못한 만남이라 어안이 벙벙하다.

비행

강매는 양손에 편의점 봉투를 들고 들어왔다. 대학 졸업 후 처음으로 모였지만, 셋은 마치 어제 본 사이처럼 인사했다. 비닐봉지에서 과자와 맥주를 꺼내면서 주혜는 강매에게 자신의 은퇴 소식을 전했다. 맥주를 홀짝이며 3개월 전 이야기부터, 오늘 있었던 일까지 빠짐없이 알려주었다. 이러이러하여 현재는 길을 잃었노라고. 그리고 새로운 꿈을 찾고 싶다고.

주혜의 이야기를 들은 강매는 잠시 숨을 고른 후 말한다.

"나는 꿈이 직업일 필요는 없다고 생각해. 그러면 어떤 일을 못하게 되어도 꿈을 잃을 일은 없거든."

"꿈이 직업이 아니어도 된다고?"

"너희, 나 고등학교 때 비행기 조종사가 되고 싶어 했던 거 알지? 근데 내가 어떻게 너희랑 갤롭대에서 만났겠어?"

강매는 의아해하는 주혜를 보며 말을 잇는다. 깡총은 두 사람의 대화를 잠자코 듣고 있다.

시골에서 자란 강매는 어릴 적부터 하늘을 동경했다. 어린 강매는 동네 어른들에게, 어른이 되면 저 하늘을 자유롭게 날아다닐 것이라고 말하고는 했다. 비행기를 자주 타고 다니는 것이 자신의 꿈이라고. 고등학생이 된 강매는 조종사가 되어 비행기를 자주 타기로 결심했다. 공부도 곧잘 했던 강매는 공군사관학교 진학을 목표로 정했다. 공군사관학교 지원을 위해 신체검사를 받던 날, 강매는 자신이 조종사가 되기엔 시력이 안 좋다는 사실을 알게 되었다. 다른 조건은 하나도 빠지는 게 없었다. 오로지 눈 때문에 공군사관학교에 진학하지 못했다.

강매의 이야기를 듣던 주혜가 불쑥 말한다.

"그때 너무 힘들었겠다. 나도 그 마음 알아. 잘못한 것도 없는데 그런 상황에 놓이면 좌절할 수밖에 없지."

강매가 머리를 긁적이며 대답한다.

"아니, 나 좌절까진 안 했는데? 조종사를 못 하는 거지 비행기를 못 타는 건 아니잖아?"

공군사관학교 입시에 실패한 강매는 그날로 다른 방법을 찾아다녔다. 어떻게 하면 비행기를 자주 탈 수 있을지 고민하다가 영문학과에 진학하기로 결심했다. 영어를 잘하면 외국에 갈 일이 많을 것 같고, 외국에 가려면 비행기를 타야만 한다는 게 이유였다. 그로부터 반년 후, 강매는 갤롭대 영문학과에 입학했다. 그리고 갤롭대 졸업 후, 세계를 돌아다니며 패러글라이딩, 스카이다이빙, 등 온갖 공중 레저 투어를 하는 여행사를 설립해 운영하고 있다.

"내 꿈은 가능한 한 자주 하늘을 나는 거야. 하늘을 나는 걸 꼭 조종사가 되어서 할 필요는 없지. 조종사가 될 순 없었지만, 그건 꿈을 잃어버린 것도, 실패한 것도 아니었어. 그냥 못 가는 길이 하나 생겨버렸던 거지. 지금 나는 그 어떤 조종사보다도 자주, 다양한 하늘을 날면서 살아. 큰 비행기, 경비행기, 낙하산. 뭐든 타고 날아다니지. 그것도 온 세상을 누비면서."

놀란 표정을 짓는 주혜를 보며 강매가 싱긋 웃는다. 두 사람을 보던 깡총도 미소 짓는다. 세 사람은 서로 맥주 캔을 부딪치며 한참을 이야기한다.

잠시 멈춤

강매가 집으로 돌아간 후, 주혜는 깡총의 침대 옆 바닥에 누웠다. 다음 갈 곳이 정해질 때까지는 깡총의 집에서 잠시 머물기로 했다. 자려고 누웠지만 쉬이 잠이 오지 않는다. 주혜가 뒤척이는 사이, 옆에서 새근새근 숨소리가 들려왔다. 주혜는 눈을 감고 오늘 만난 세 사람의 이야기를 떠올린다. 꿈이란 건 직업이 될 수도, 아예 없을 수도, 직업이 아닌 무언가일 수도 있구나. 복잡하다. 어렵다. 그렇지만 정답은 없다. 위안이 된다. 나만 틀린 답을 내놓고 헤매고 있는 것이 아니었다. 주혜도 스르륵 잠이 든다.

다음 날 아침, 느지막이 일어난 주혜는 방안을 두리번거렸다. 이미 출근했는지 깡총은 보이지 않았다. 해가 이미 중천에 떴지만,

개의치 않는다. 그녀는 오늘 하루는 쉬어 가기로 한다. 길을 잃을까 불안한 마음도 잠시 넣어 두기로 했다. 그냥 길 가다 발견한 예쁜 카페에 앉아서 맛있는 케이크를 먹으면서 쉬기로 마음먹었다. 매일 달리던 주혜에게 달리지 않는 것은 참 쉽지 않은 일이다.

주혜는 문을 열고 발밑을 내려다보았다. 주혜 앞에는 네 갈래 길이 놓여 있다. 오른쪽 길은 골목으로, 왼쪽 길은 대로변으로, 건물 뒤로 난 길은 산길로 이어져 있다. 가운데 길은 언덕길이라 그 너머가 보이지 않았다. 트랙 바깥의 길은 주혜에겐 아직 너무나 어렵다.

그럼에도 주혜는 일단 신발 끈을 고쳐 매고 현관을 나섰다. 여전히 어디로 가야 할지는 모르겠지만, 얼마 간은 헤매도 좋겠다는 생각이 들었다. 숨 좀 고르고 헤맨다고 세상이 무너지지는 않는다. 당장 꿈을 꼭 꿀 필요도 없다.

경주혜는 길치다. 길을 좀 잃어도 괜찮은, 길치.

07

엄마의 이불 가게

현선

소설

현
선

빡빡하게 사는 것을 좋아하지 않습니다. 느긋한 몰입을 좋아합니다. 해야 할 일들을 해내는 삶에서 원하는 것을 이뤄 가는 삶으로 바꿔 가는 중입니다. 이제 글쓰기를 통해 그 설레는 첫걸음을 떼고 있습니다.

엄마의 이불 가게

'오늘은 좀 빠른데?'

지수의 핸드폰에서는 문자 알람이 반짝이다 사라졌다. 퇴근 시간까지는 아직 3시간도 더 남아있었다. 평소 지수의 엄마는 지수가 퇴근하기 한 시간 전쯤 문자를 보내곤 했다. 대부분 퇴근길에 사 가야 할 것들에 관한 내용이었다. 2년 전 무릎을 수술받은 엄마는 기우뚱거리는 걸음걸이가 신경 쓰이는지 바깥출입을 거의 하지 않고 집에서만 지내고 있었다.

-지수야, 빨리 와. 언니가 돌아왔어.

순간, 지수는 헉하고 숨을 삼켰다. 언니가 돌아왔다고? 진짜? 갑작스러운 소식에 지수의 심장 박동이 빨라지고 머리가 혼란스러웠다. 혹시, 보이스피싱인가? 하지만 다시 확인해 봐도 엄마의 번호가 분명했다. 일단 확인해 봐야 한다. 지수는 애써 마음을 가라앉히며 떨리는 손가락으로 사무실 전화기의 버튼을 눌렀다.

03198---. 누구나 핸드폰을 가지고 다니는 요즘, 집 전화가 없는 집이 대부분이라지만 지수의 거실에는 여전히 집 전화가 그 자리를 지키고 있다. 엄마는 언제 지연에게서 전화가 올지 모른다며 절대로, 절대로 전화를 없애면 안 된다고 고집을 부렸기 때문이다. 지수도 엄마의 고집이 아주 일리가 없는 말은 아니라고 생각했다. 하지만 정작 지난 3년 동안 전화통을 울려댄 건 온갖 광고 전화, 설문 전화, 국회 의원 홍보 전화 등등 쓸데없는 것들뿐이었다.

"엄마, 이게 무슨 말이야? 언니가 왔다니?"

"그래, 지수야, 지연이가 왔어, 오늘 좀 빨리 올 수 있지?"

엄마의 들뜬 목소리에는 뭔지 모를 불안감도 살짝 묻어있었다.

"아니야, 천천히 와도 돼."

전화기 너머 멀리서 들리는 저 목소리, 약간 높은 듯 끝을 잡아끄는 저 목소리. 지연이 틀림없다. 지수는 순간 울컥하면서 눈물이 날 것 같았다. 하지만 기쁨의 시간도 잠시, 너무나 태연한 지연의 목소리 때문인지 한껏 치솟던 지수의 심장 박동이 점차 안정을 찾아가고 있었다.

"알았어."

빨리 오라는 말에 알았다는 건지 천천히 오라는 말에 알았다는 건지 자신도 모르는 채 지수는 서둘러 전화를 끊었다. 그토록 애타

게 기다리던 소식이었는데, 이상하게도 몸이 빨리 움직여지지 않았다. 불안과 걱정 속에 희망과 좌절을 거듭하며 지내 온 날들이 주마등처럼 스쳐 지나갔다. 너무나 기다리던 소식이라서 그럴까? 온몸의 기운이 빠져나가는 것만 같았다. 지금 꼭 이렇게 당장 달려가야 하나? 아니 왜? 뭘 잘했다고 달려가야 해? 전화기 너머로 들려오던 지연의 여유로운 목소리를 듣는 순간부터 지수의 속에서 뭔가가 배배 꼬이며 올라오고 있었다. 그렇게 마음 깊은 곳으로부터 안도감과 함께 원망과 미움도 솟아오르는 것을 막을 수가 없었다.

지연은 사법고시를 준비하던 고시생이었다. 어릴 때부터 예쁘고 야무져서 아버지 없이 지수와 지연을 키우는 엄마에게는 자부심이자 든든한 버팀목이었다.

"엄마, 걱정하지 마! 내가 판사 돼서 울 엄마 어깨 쫙 펴고 살게 해 줄게."

시장에서 이불 가게를 하는 엄마가 집에 돌아와서 손님들에 대해 하소연할 때마다 지연은 엄마에게 이렇게 다짐하곤 했다. 지연의 그 다짐을 지수와 엄마는 굳게 믿었다.

지연은 고등학교 내내 전교 일 등을 놓쳐본 적이 없었고 당연하다는 듯이 sky 중 하나의 법대에 입학했다. 대학에 입학한 후에도 지연은 오직 사법고시 합격밖에는 안중에 없는 것 같았다. 간혹 자기 전까지 전화 통화를 하거나 누군가 집에 데려다주는 걸 보면 남자 친구를 사귀는 것 같기도 했지만 길게 가지는 못하는 것 같았다.

얼마 후 곧 사법고시가 사라지고 판사가 되려면 법률대학원이라는 곳을 다녀야 한다는 뉴스를 접할 때도 지수와 엄마는 크게 걱정하지 않았다. 지연은 한 번에! 아니 적어도 세 번 안에 합격할 것이 분명했기 때문이었다.

다섯 번째 탈락이 확정되던 날, 지연은 처음으로 술에 취해서 집에 들어왔다.

바로 그다음 주, 지연은 짐을 싸서 고시원으로 들어갔다. 몸도 약한 지연을 그런 곳에 보낼 수 없다고 고집을 부리던 엄마도 더는 붙잡지 못했다.

그 뒤로도 지연은 몇 번의 탈락을 거듭했고 3년 전, 2017년 11월에 마지막으로 실시된 사법고시를 치를 때쯤엔, 솔직히 지수도 엄마도 합격을 기대하지 않았다. 이제 시험도 끝났으니 그만 집으로 돌아오라는 엄마의 성화에도 지연은 마지막 발표까지 끝나면 집으로 돌아가겠다며 날짜를 미뤘다. 엄마와 지수가 지연을 찾으러 고시원에 갔던 날도 오늘처럼 을씨년스러운 흐린 11월의 어느 날이었다.

"아, 그 학생? 그 바람 불면 날아가게 생긴 그 학생 말이죠? 알죠. 그 학생은 지난주에 방 뺐어요. 이제 여기도 빈방 천지에요."

관리인 아저씨가 열어준 언니의 방은 텅 비어 있었다.

"그런데 그 학생, 술을 너무 마시더니만요."

"네? 술이요? 우리 애가요? 우리 애가 무슨 술을 마신다고 그래요?"

창백하던 엄마의 얼굴이 벌겋게 상기되었다. 아빠가 간암으로 돌아가셔서 그런지 엄마는 술 마시는 것을 아주 싫어하다 못해 혐오했다. 술주정하거나 술에 취해 돌아다니는 사람을 보면 인간 구실 못할 거라며 저주를 퍼붓곤 했는데, 그 독기 오른 저주의 말 중에 몇 개는 돌아가신 아빠에게 하는 말 같아서 지수는 듣기가 싫었다. 그런데 엄마가 그토록 믿었던 지연이 술을 마시다니, 그것도 많이.

"거의 매일 술을 사서 들어왔어요. 몸도 약해 보이는데 술을 그렇게 마시니까 나도 걱정이 좀 되더라고요. 그래도 방 뺄 때는 멀쩡하니 나갔으니까 너무 걱정하지 마세요."

"어디로 간다는 말은 없었나요? 혼자 가던가요?"

금방이라도 쓰러질듯한 엄마를 붙잡고 지수가 대신 물었다.

"아무 말 없었죠. 그리고 뭐 짐이랄 것도 없이 달랑 가방 하나 갖고 나갔어요. 책은 그 전에 싹 다 처분해서 트럭이 와서 실어 가버렸고 보증금도 다 정산해서 가져갔어요."

그렇게 지연은 사라졌다. 그것도 아주 계획적으로.

흐린 날씨 때문인지 심란한 마음 때문인지 지수의 외투 앞자락 사이로 파고드는 바람이 더 서늘하게 느껴졌다. 평소보다 느린 걸음으로 도착한 버스 정류장에는 버스가 15분 후에 도착한다는 알림이 떠 있었다. 지수는 정우에게 전화를 걸려고 핸드폰을 꺼냈다.

지연이 사라진 후, 경찰에 실종 신고도 해봤지만 30살이 넘은 여자가 자기 손으로 짐을 싸서 나간 것을 실종이라고 보기 어렵다는 말만 돌아왔다. 엄마는 이불 가게도 거의 접다시피 하고 지연이 있을 만한 곳을 찾아 헤맸다. 그렇게 1년, 그렇지 않아도 무거운 이불을 들었다 내렸다 하느라 약해진 엄마의 무릎은 수술받아야 할 지경이 되었다. 지연이 사라진 충격과 힘든 수술로 엄마는 지쳐 갔고, 지수는 재활을 거부하는 엄마를 간신히 설득해서 병원에 데려갔다. 그곳에서 물리치료사인 정우를 만났다.

어느 날, 지수가 엄마를 데리러 허겁지겁 뛰어간 치료실에서 정우와 나란히 앉아 정우가 타 준 커피를 마시며 웃고 있는 엄마를 봤다. 지연이 사라진 후 처음 보는 엄마의 미소였다. 그 순간, 외롭고 추운 지수의 가슴속에 작은 등불이 켜지는 것 같았다. 엄마는 늦게 시작한 재활로 후유증이 남았지만, 정우 덕분에 무사히 마칠 수 있었다.

버스가 도착했다. 지수는 정우에게 전화를 거는 대신 간단한 문자만 남기고 버스에 올랐다. 버스 뒷자리에 앉아 바라본 손잡이들이 버스의 덜컹거림에 맞춰 일제히 흔들리고 있었다.

지수가 집에 들어섰을 때 가장 먼저 눈에 들어온 것은 거실에 등지고 앉아 있는 지연의 동그랗고 두툼한 등짝이었다. 지연은 3

년 전보다 몸무게가 10kg 이상은 불어난 것 같았다. 예전에 그 바람 불면 날아갈 것 같은 여리여리한 모습은 찾아볼 수가 없었다. 그다음으로 눈에 들어온 것은 놀랍게도 지연이 안고 있는 꼬물거리는 작은 생명체였다.

아기였다.

태어난 지 이제 100일이나 되었을까? 배냇머리가 듬성듬성 빠져있고 양쪽 볼이 이제 막 바람을 불어넣은 풍선처럼 매끈하고 동그랬다. 아니 사실 그것보다 더 먼저 지수의 눈길을 잡아끈 것은 유난히 흰 피부와 연한 색깔의 머리카락, 그리고 연한 회색 눈동자였다.

"왔어?"

지수는 자신을 올려다보며 해맑게 웃는 지연에게 어떻게 반응해야 할지 몰라 당황스러웠다.

"엄, 엄마는?"

지수는 지연의 품에 안겨 젖을 빠는 아기에게서 눈을 떼지 못한 채 물었다.

"괜찮다는 데도 굳이 뭘 하겠다고 그러네, 주방에 있어."

지수는 곧장 주방으로 갔다. 엄마는 그동안 손을 놓았던 살림이 익숙지 않은지 싱크대 여기저기를 분주하게 열었다 닫았다 하고 있었다.

"엄마, 뭐해? 나한테 사 오라고 하지. 무릎도 안 좋은데 뭐 하고 있어?"

"아이고, 조용히 해. 언니한테는 엄마 무릎 얘기하지 마. 얼마 만에 온 집인데, 넌 나가서 언니랑 얘기 좀 하고 있어. 얼른 국만 끓여서 밥 먹자."

잠시 후, 엄마가 급히 차린 밥상 앞에 앉은 지연은 미역국에 밥을 말아 한입 크게 떠먹고는, 미소를 지으며 엄지손가락을 들어 보였다.

"역시, 우리 엄마."

마치 며칠 만에 집에 온 사람처럼 태연하게 구는 지연을 보고 있자니 지수는 마음이 불편했다. 어디 있다가 이제 나타났냐? 우리가 얼마나 찾았는지 아느냐? 이렇게 멀쩡히 살아있으면서 왜 연락을 안 했냐? 그리고, 저 아기는 어떻게 된 거냐? 지수의 머릿속에는 수많은 질문이 아우성을 치고 있었다. 하지만 그 산더미 같은 질문 중에서 하나라도 입 밖으로 꺼내는 순간, 이 잠깐의 평화마저 와르르 무너질 것만 같아 두려웠다. 그건 엄마도 마찬가지였는지 지연이 미역국에 말은 밥을 거의 다 먹어갈 때까지 그 모습을 묵묵히 지켜보고만 있었다.

"그동안 어디 있었어?"

드디어 엄마가 조심스럽게 말문을 열었다.

"미안, 엄마. 걱정 많이 했지? 외국에 있었어."

지연은 국그릇에 조금 남은 국물까지 마저 긁어먹으며 말했다.

"외국? 외국 어디?"

예상치 못한 답변에 엄마의 목소리가 높아졌다.

"호주."

엄마가 안고 있는 아기를 지그시 바라보는 지연의 눈가는 힘없이 처져 있었다. 그런 지연을 바라보던 엄마는 더 이상 추궁하지 않고 지연에게 국을 더 먹을 건지 물었다. 지수는 잠든 아기의 통통한 볼살을 쓰다듬던 손을 멈추고 지연의 얼굴을 유심히 바라봤다. 사실 그동안 지수는 엄마에게 말은 하지 않았지만, 지연의 실종 사건을 맡았던 경찰에게 부탁해서 지연의 행적을 종종 찾아봤었다. 그때마다 출입국 기록이나 카드 사용, 휴대전화 사용 내용 같은 것이 전혀 뜨지 않았었다. 지연이 외국에 나갔었다면 기록이 남아있지 않을 리가 없다. 지연은 지금 거짓말을 하고 있다.

"정우야, 언니가 시험을 보긴 한 걸까? 엄마랑 나는 언니가 시험을 봤다고 하니까 봤나 보다 했고, 떨어졌다니까 떨어졌나보다 했었단 말이야. 지금 생각해 보니 언니 말 말고는 아무것도 확인할 수 있는 게 없어."

다음 날, 지수는 오랜만에 사무실 앞으로 찾아온 정우와 마주 앉았다.

"아기도 같이 왔다며. 힘드셨겠다. 아기가 몇 개월이라고 했지?"

"3개월."

"어머니는 어떠셔? 많이 놀라셨을 거 같은데?"

"그렇지 뭐."

지수는 일부러 시큰둥하게 대답하고 아이스아메리카노에 꽂힌 빨대를 이리저리 휘저었다. 정우가 지수의 하소연보다 엄마나 지연에게만 관심을 가지는 것이 내심 서운해서다.

"그동안 네가 고생이 많았어, 엄마 보살피랴, 틈틈이 언니 소식 알아보러 다니랴, 언니는 정말 너한테 고마워해야지"

정우는 남자치고는 눈치가 빠른 편이다. 보통 남자들은 여자들의 미묘한 감정 변화를 눈치채지 못해서 구박받기 일쑤라던데 정우는 어떻게 그렇게 잘 알아채는지 모르겠다.

"도대체 그동안 뭘 하고 다닌 걸까? 그리고, 아기는 또 어떻게 된 거야? 그것도 혼혈 아기라니! 그동안 무슨 일이 있었던 건지 도통 말을 안 하니까 진짜 속 터져 죽겠어."

"원래 가까운 사람에게 진실을 말하기가 더 어려운 거야. 그러니까 사람들이 돈을 주면서 상담사를 찾아가는 거 아니겠어? 그러니까 좀 기다려봐, 때가 되면 말씀하시겠지."

정우는 엄마와 지연의 일로 힘들어하는 지수를 누구보다 가까이서 지켜보고 위로해 준 사람이다. 지수도 무슨 일이 있을 때마다 정우에게 자신의 속마음을 다 털어놓곤 했는데 정작, 정우는 자신의 이야기를 잘 하지 않는 편이었다. 얼마 전, 시내에서 데이트하다가 정우의 동생을 우연히 만났는데, 정우의 동생은 정우에게 여자 친구가 있다는 사실조차 모르는 눈치였다. 둘이 사귄 지 2년이나 됐는데도 정우의 가족은 지수의 존재를 모르고 있었다. 가족들이 알면 너만 귀찮아질 거야. 라며 어물쩍 넘어가려고 하는 정우의 태도도 미심쩍었다. 정우는 곧 가족들에게 지수를 소개하겠다고 했지만, 아직 아무 말이 없다. 가까운 사이일수록 진실을 말하기 어렵다는 그 '진실'이라는 것에 혹시 자신에 관한 것도 포함되어 있을까? 지수는 정우를 바라보며 생각에 잠겼다.

며칠 후, 정우가 아기에게 줄 장난감과 언니의 꽃다발, 엄마 영양제를 사 들고 지수의 집을 방문했다. 정우는 지연과 대화가 잘 통하는 듯했다. 둘의 대화는 주로 지수를 놀리는 내용이었지만 기분이 나쁠 정도는 아니었다. 정우는 술을 잘하지 못하는데도 지연이 따라주는 잔을 주는 대로 받았다. 거절을 잘 못하는 정우의 성격을 알기에 지수가 나서서 지연을 말려야 했다. 대학생 때 아기돌보는 봉사 활동을 해봤다는 정우는 아직 목을 완전히 가누지 못하는 아기를 지수보다 더 잘 안아 주었다. 정우와 언니의 웃음소리, 아기의 옹알거림, 거실에 꽂혀있는 꽃다발의 은은한 향기까지, 오랜만에 집안은 사람의 온기로 가득했다. 지수는 오래전에 잃어버린 무언가를 찾은 듯했다. 어쩌면 이렇게 살아가도 괜찮지 않을까? 지수는 잠깐 그런 생각이 들었다.

정우가 돌아간 뒤 지수가 샤워를 마치고 나와보니 지연이 맥주한 캔을 식탁 위에 올려놓고 앉아 있었다.

"아기는?"

"잠들었어."

"언니, 모유 먹이는데 술 마셔도 돼?"

"한 잔은 괜찮아."

말은 그렇게 해도 지연은 캔을 따기만 했을 뿐 거의 마시지 않은 채 놓아두고만 있었다. 지연이 틀어 올렸던 머리를 풀어 헤치자, 아기 젖과 침으로 얼룩진 헐렁한 티셔츠 위로 긴 생머리가 우수수 쏟아졌다. 지수는 아직 지연의 이런 모습이 낯설다.

지수도 냉장고에서 맥주 한 캔을 꺼냈다. 정적이 흐르는 집안에 엄마와 아기의 편안한 숨소리가 잔잔하게 들려왔다. 깔끔한 엄마의 성격대로 거실에는 아기 물건 하나 나와 있지 않았다. 조금 전까지 웃음과 이야기 소리로 가득했던 거실이 이제는 휑하니 넓어 보였고 공기가 조금 썰렁해져 있었다. 지수는 얇은 티셔츠 한 장 걸친 지연의 어깨에 얇은 이불을 덮어주고 그 앞에 마주 앉았다.

"정우, 사람 좋아 보이더라. 결혼할 거야?"

"아직은 잘 모르지. 난 정우가 첫 남자 친구야. 언니는 남자 친구 언제 처음 사귀었어?"

"대학교 1학년 때."

"그때 남자 친구가 있었어? 공부만 한 줄 알았는데?"

"사귄 건 아니고. 학교 선배였는데 나한테 잘해주고, 예뻐해 주고, 집까지 데려다주던 날 뽀뽀도 하고 그러길래 사귀는 줄 알았거든. 그런데 다음 해에 신입생 한 명한테 또 그러고 있더라구. 나중에 무슨 성형외과 병원장 딸하고 결혼했다더라. 첼리스트래. 미모의 재원이라나 뭐라나."

지연은 입가에 흐르는 쓴웃음을 맥주 한 모금과 함께 삼켰다.

"아기 아빠는? 어떻게 만났어?"

"지방에서 영어학원 강사를 하면서 만났어. 아주 엉망진창이었을 때 만났지."

"뭐가 엉망진창이었는데?"

"술도 많이 마시고 그랬어. 엄마가 술이라면 질색하는데… 술만 좀 끊으려고 했는데 어쩌다 일이 이렇게 됐네."

"술 끊기가 쉽지 않았을 텐데… 지금은 괜찮은 거야?"

"임신한 거 알고 정신이 번쩍 났지. 아기한테 미안하기도 하고 그래서 모유라도 먹이는 거야. 좋다고 하니까."

지연에게 그런 모성애가 있었다니! 지수는 지연의 그런 모습이 경이로웠다.

"아기 아빠랑은 지금도 연락해?"

"아니. 죽은 거나 마찬가지야, 나한테는. 유부남이었거든. 비자가 만료돼서 호주로 돌아갔어. 다시 만날 일 없지. 엄마한테는 말하지 마. 엄마가 알면 감당 못 하실 거야. 내가 나중에 기회 되면 조금씩 말할게."

한참을 말없이 있던 지연이 살짝 웃으며 맥주캔을 들어 지수에게 건배를 청했다.

"너랑 이렇게 맥주를 마시는 날도 있네? 꼬맹이 다 컸다."

"꼬맹이는 무슨, 네 살 차이밖에 안 나거든?"

살가운 자매 사이는 아니었지만, 혈육이란 이런 것일까? 지수의 마음이 너무나도 무거웠다. 어색한 침묵을 깨려는 것인지 지연은 어릴 때 지수와 같이 갔던 피자집이 아직도 그대로인지 물었다. 다행이었다. 지연이 조금만 늦게 물어봤더라면 지수는 무슨 말이라도 해서 지연을 위로하려고 했을지도 모르겠다. 하지만 지수는 섣부른 위로로 지연의 지난날을 가벼이 여기고 싶지 않았고 옅은 눈물로 지연을 더 아프게 하고 싶지도 않았다. 아직은 그럴 수 없었다.

"지금은 카페로 바뀌었어. 그 근처가 우리 사무실이야. 같이 한번 가자! 바람도 쐴 겸 아기는 엄마한테 잠깐 맡겨놓고 나와."

지수는 어릴 때의 특별한 추억이 있는 그 장소를 지연도 기억하고 있다는 것이 기뻤다. 엄마가 가게 일로 바쁠 때면 지수와 지연은 밖에서 끼니를 해결할 때도 있었다. 평소에는 떡볶이나 라면 같은 것만 사 먹었는데 그날, 지연은 시내에 새로 생긴 피자집에 지수를 데리고 갔다. 지수는 빨간색 세모 지붕 아래 커다란 나무 문을 밀고 들어가던, 그 떨리는 순간을 지금도 잊을 수 없다. 은은하게 코끝에 감돌던 고소한 치즈 냄새, 테이블마다 덮여있는 초록색 체크무늬 식탁보, 그 위에 가지런히 놓인 앙증맞은 소스 통까지 지금도 생생하게 기억난다. 잠시 후, 하얀 셔츠의 키가 크고 잘생긴 종업원이 지수와 지연에게 메뉴판을 펼쳐 보였다. 지수는 살짝 주눅이 들었던 거 같다. 하지만 지연은 당당하고 야무지게 작은 크기의 피자 하나와 콜라 한 잔을 주문했다. 그때 지연이 얼마나 멋지고 자랑스러웠던가? 지수가 지연에게서 느낀 원망과 미움은 어쩌면 거기에서부터 시작되었는지도 모르겠다. 반짝반짝 빛나던 존재가 긁히고 깨지면서 그 빛을 잃어가는 과정을 보는 것은 괴로웠다. 가족이기에 어릴 적 우상의 민낯을 가장 가까이에서 볼 수밖에 없었다. 지연에 대한 안타까움, 슬픔, 그리움 같은 감정들이 지연이 놓아버린 책임을 대책 없이 감수해야 했던 지수의 노고와 버무려져 원망과 미움의 가면을 쓰고 나타났던 것은 아닐까?

잠시 후, 지연이 아기의 칭얼거리는 소리에 방으로 들어가고 지수는 거실에 홀로 앉아 김이 다 빠져버린 맥주를 홀짝이며 늦은 밤까지 잠을 이루지 못했다.

-엄마 가게에서 보자.

퇴근 한 시간 전, 엄마의 문자다. 엄마는 아기에게 집에 있는 이불을 대충 접어서 깔아준 것이 마음에 걸렸던 모양인지 지수에게 엄마 가게에 가서 아기에게 필요한 이불을 가지고 오자고 했다. 엄마의 이불 가게는 지난 3년 동안 거의 닫혀 있었다. 이제 다리까지 불편한 엄마가 무겁고 부피도 큰 이불을 다루는 장사를 다시 하는 건 거의 불가능했다. 지수가 계속 비워두기만 하는 가게를 어떻게 할 것인지 엄마에게 물을 때마다 엄마는 좀 더 생각해 보자며 결정을 미뤄왔다. 이 가게를 마련하기까지 엄마의 노고가 얼마나 고되었는지, 이 가게를 얼마나 살뜰하게 지켜왔는지 봐 온 지수로서는 그런 엄마가 충분히 이해되었다. 엄마가 익숙하게 열쇠를 돌려 문을 열고 가게 안으로 들어서자, 오랫동안 갇혀 있던 공기 속에서

눅눅하고 묵은 솜 냄새가 났다.

엄마가 손님들에게 이불을 펼쳐 보이던 마루와 화려한 이불로 가득하던 이불장이 보였다. 예전에 엄마가 커다란 이불을 가게 마루에 펼쳐 놓고 있을 때면 지수는 그 가운데로 들어가 이리저리 구르곤 했는데 그럴 때마다 엄마는 이불이 더러워질까 봐 지수에게 호통을 치곤 했다. 그때 그렇게나 넓어 보였던 마루가 이제 보니 이불 하나를 펼치면 가득 찰 정도의 크기밖에 되지 않았다.

"아기 이불은 너무 푹신하거나 가벼우면 안 돼. 고개를 제대로 못 가누는 아기가 엎어졌다가는 이불에 코를 박거나 손발을 파닥거리다가 이불을 뒤집어써서 숨이 막힐 수가 있거든. 그러면 정말 큰일이 나는 수가 있어. 우선 이걸로 가져가자. 애들은 금방금방 크니까 좀 쓰다가 솜은 한번 틀어서 또 쓰면 돼"

엄마는 사뭇 진지한 목소리로 이렇게 말하며 가게 안쪽에 놓인 낮은 장에서 아기 요와 이불을 꺼냈다.

"근데 엄마? 언니가 호주에 있었다는 말이 진짜일까? 엄마는 그 말을 믿어?"

지수는 엄마가 꺼내주는 이불을 가방에 접어 넣으며 슬쩍 떠보았다.

"넌 가만있어, 언니 힘들게 하지 말고. 하나하나 다 들춰낸다고 좋은 게 아니야. 엄마가 기회 되면 살살 물어볼 테니까, 좀 기다려보자. 말할 때 되면 하겠지."

이럴 때 보면 지연은 엄마와 많이 닮아있다. 기회 되면 말한다는 것은 말하지 않겠다는 뜻이라는 것을 지수는 이미 오래전부터 알고 있었다. 더 말해봐야 소용없음을 알기에 지수는 그대로 입을 다물었다.

돌아가신 아빠의 제사 때마다 지수 집에는 고모들과 삼촌들이 모였다. 그중에 막내 삼촌은 항상 오토바이를 타고 왔다. 다른 어른들이 아빠를 닮아 공부도 잘하고 예쁘다며 지연을 앉혀 놓고 이런저런 이야기로 분주할 때면 막내 삼촌은 가만히 지수를 불러냈다. 막내 삼촌이 사주는 아이스크림이며 사탕 같은 것을 먹으며 삼촌의 멋진 오토바이 위에 앉아 있으면 지수는 어딘가 특별한 곳으로 여행을 떠나는 것 같아 가슴이 두근거렸다.

그러던 어느 해, 아빠 제사에 온 어른들이 막내 삼촌이 오토바이 사고로 죽었다고 했다. 그리고 할머니에게는 비밀로 해야 한다고 했다. 아빠가 돌아가신 뒤 크게 상심하여 이미 건강이 나빠진 할머니가 더 이상 충격을 받으면 안 된다는 것이 그 이유였다. 어른들은 지수와 지연에게도 할머니 앞에서 막내 삼촌 얘기를 절대 하지 말라는 다짐을 받았다.

명절에 온 가족이 할머니 집에 모이면 할머니는 가끔 막내는? 이라고 물었다. 그때마다 어른들은 막내는 외국으로 일하러 갔다고 거짓말을 했다. 어떻게 연락 한 번이 없냐고 하면 그놈이 원래 그런 놈 아니냐고, 무소식이 희소식이라고 잘 지낸다고 했으니 걱정하지 말라고 했다. 그렇게 몇 년이 지나자, 할머니도 더 이상 막내 삼촌을 찾지 않으셨다.

지수는 가장 좋아했던 막내 삼촌이 죽었는데 다들 모른 척하는 것이 슬펐고 사랑하는 막내아들이 죽었는데 그것도 모르는 할머니가 불쌍했다. 할머니를 위하는 척하면서 바보로 만드는 어른들이 싫었다.

어느 날. 할머니 집에 간 지수는 할머니 방으로 들어갔다.

"할머니, 막내 삼촌 안 보고 싶어?"

할머니는 지수의 말을 들었는지 못 들었는지 있지도 않은 먼지를 손바닥으로 쓸어모으고 있었다.

"할머니, 막내 삼촌이 왜 안 오는지 알아?"

지수는 가슴이 콩닥콩닥 뛰었다. 지수의 말 한마디로 어른들 말처럼 할머니에게 무슨 일이 일어날까 봐 무섭기도 했다.

"무소식이 희소식이지. 잘 사니까 별말 없겠지."

할머니의 표정과 말투는 화난 사람처럼 딱딱했다. 연락 한번 없는 삼촌에게 화가 난 것인지 삼촌에 관해 묻는 지수에게 화가 난 것인지 알 수 없었다. 이후로 진실을 밝히겠다는 지수의 의지는 온데간데없이 사라지고 말았다. 어른들이 만든 거짓의 벽은 높았고 그 벽을 넘기에 지수는 아직 어렸다.

"엄마 가게에 가본 것도 정말 오래됐네. 어릴 때 정말 자주 갔었는데 말이야. 그동안 가게를 계속 비워뒀던 거야?"

지연은 엄마가 새로 깔아준 아기 요에 아기를 눕히며 말했다.

"장사 못한 지 3년이나 됐어. 그동안 지수가 엄마 수술비 대랴

생활비 대랴, 고생이 많았어. 지수가 참 애 많이 썼다."

지수는 엄마의 말에 조금 놀랐다. 그동안 고맙다거나 수고한다거나 하는 말을 들은 적도 없거니와 당연하다는 듯 지수의 부양을 받아온 엄마였다.

"그럼, 가게를 세라도 주지 왜 그냥 뒀어?"

지연의 목소리가 뾰족해졌다.

"그럴 경황이나 있었냐?"

질책이라도 하는 듯한 지연의 말에 엄마의 말에도 가시가 돋아나고 있었다.

"나는 뭐, 편하게 산 줄 알아?"

누워 있는 아기를 한참이나 응시하던 지연의 목소리가 가늘게 떨렸다. 날 선 목소리들이 불편했는지 잘 누워 있던 아기가 갑자기 칭얼대기 시작했다. 지연은 아기를 안고 그대로 방으로 들어가 버렸고 엄마도 깊은 한숨과 함께 방으로 들어갔다. 거실에는 주인 없는 아기 요만이 덩그러니 놓여 있고 불도 켜지 않은 어두운 집안에는 차가운 침묵만이 무겁게 내려앉았다.

집에 아기가 있으면 분위기가 달라진다더니 틀린 말은 아니었다. 잠시 냉랭하던 지연과 엄마 사이도 함께 아기를 돌보는 사이 자연스럽게 풀어졌다. 지연과 아기가 있는 집은 생기가 돌았고 엄마도 예전의 활력을 되찾은 것 같았다. 지수도 이제 아기 안는 기술이 제법 늘어서 지연이 젖을 먹이고 나면 트림을 시키는 것은 지수의 몫이 되었다. 아기가 지수와 그 예쁜 회색 눈동자를 맞추며 웃어주면 세상 모든 근심 걱정이 사라지는 것 같았다. 지수가 퇴근 길에 아기 물건들을 이것저것 사 들고 들어갈 때마다 지연은 얼마 쓰지도 못할 것에 뭐 하러 돈을 쓰냐며 타박하기도 했지만, 지수는 이제 아기가 보고 싶어 빨리 집에 오고 싶어지기까지 했다.

그렇게 지연과 아기가 함께하는 일상이 익숙해질 무렵, 엄마는 아기에게 젖을 물리고 있는 지연 앞에 분유 한 통과 우유병 2개를 꺼내 놓았다.

"지연아, 젖은 언제까지 먹일 거야? 백일까지 먹였으면 많이 먹였어. 이제 슬슬 분유로 바꿔보자."

"돌 때까지만 먹이려고, 이제 익숙해져서 괜찮아."

지연은 엄마의 시선을 피하며 말했다.

"젖먹이면 꼼짝없이 아기 옆에 붙어 있어야 해. 어떤 애들은 서너 살까지도 엄마한테서 안 떨어진다니까? 분유로 먹이면 엄마가 좀 봐줄 수도 있잖아. 그럼, 너도 네 할 일 찾아볼 수도 있고 좋잖아."

"내 할 일?"

"그럼, 그렇게 좋은 대학 나왔겠다. 하려고만 하면 왜 못해? 엄마가 아기 봐줄 테니까…"

"엄마!"

지연은 엄마의 말이 채 끝나기도 전에 말을 끊었다.

"나 여기 오래 안 있어."

잠든 아기를 지수에게 넘겨주는 지수의 눈빛이 단단해져 있었다.

"좀 있다가 호주로 다시 들어갈 거야. 아기 아빠가 빨리 들어오라고 난리야. 들어가기 전에 엄마랑 지수 얼굴이라도 한번 보려고 온 거야."

"아이 아빠가? 그래서 같이 못 온 거야? 그래서, 언제 들어가려고?"

엄마의 목소리가 거칠게 갈라지며 쉰 소리가 나왔다.

"글쎄, 한두 달쯤 후에?"

아기의 등을 문지르던 지수의 손이 그대로 멈춰버렸다. 죽은 거나 마찬가지라더니 아기 아빠를 만나러 호주에 간다고? 비자 신청부터 항공권 준비까지 한 두 달로는 어림도 없을 텐데? 도무지 믿어지지 않는 소리였다. 지수는 말도 안 되는 지연의 말을 듣기도 싫고 맞장구를 치는 엄마도 이해되지 않았다. 지수는 아기를 안고 방으로 들어가 버렸다.

아기가 깨지 않도록 조심스럽게 요 위에 내려놓고 허우적거리다가 이불을 뒤집어쓰지 않도록 팔은 밖으로 빼주었다. 지수도 아기 옆에 가만히 누워 아기의 얼굴을 찬찬히 뜯어보며 자신과 닮은 곳이 있나 찾아보았다. 아무리 혼혈이라도 조카니까 닮은 구석이 있지 않을까? 숱은 적지만 일자로 난 눈썹 모양이 닮은 듯도 했다. 지수는 아기의 새근새근한 숨소리에 맞추어 이불 위로 손을 얹어 가만히 토닥여주었다.

지수와 지연이 아직 한 이부자리에서 자던 때, 엄마도 지수와 지연을 이렇게 토닥여주곤 했다. 장사를 마치고 돌아온 엄마가 이불을 덮어주고 이마를 쓸어주고 가만가만 토닥여주는 그 시간이 너무 달콤해서 지수는 눈을 뜨고 싶지 않았다.

어느 날 아침, 지수는 지연이 누웠던 자리가 노랗고 커다란 얼룩으로 축축하게 젖어 있는 것을 보았다.

"언니, 오줌 쌌어?"

"아니, 아닌데."

"그럼, 이거 뭐야?"

"물이야, 아까 엎질렀어."

그렇게 말하는 지연의 잠옷 바지는 축축하게 젖어 다리에 엉겨 붙어 있었다.

"거짓말하지 마. 이거 오줌이잖아."

지수는 냄새까지 킁킁 맡아가며 말했다. 지연은 더 이상 아무 말도 하지 못하고 지수를 노려보기만 했다. 항상 칭찬만 받던 지연이 이런 실수를 하다니! 지수는 내심 신이 났던 것 같다. 지수는 얼른 엄마에게 달려가서 지연이 이불에다가 오줌을 쌌다고 일러바쳤다. 방에 돌아와 보니 지연이 요 위에 이불을 덮어놓고 그 위에 올라앉아 있었다.

"아니야. 물이야. 정말이야. 아까 물 마시려고 하다가 여기에 쏟은 거야."

눈물이 그렁그렁해진 지연의 애절하고도 구구절절한 호소에 지수는 혹시 잘못 봤나? 의심이 들 정도였다. 하지만 엄마가 걷어낸 이불 아래 노랗고 커다란 얼룩이 그대로 있었다. 그런데 엄마는 지연의 말이 맞다고 했다. 지연이 이불에 물을 쏟은 것이라고 했다.

"아니잖아. 오줌이잖아. 노란색이잖아. 그리고 냄새 맡아봐. 물에서 왜 이런 냄새가 나?"

엄마는 지수의 말을 들은 체도 하지 않았다. 지수는 울음을 터트렸다. 지수의 눈에서는 서러운 눈물이 계속해서 솟아났다. 한참 후에야 울음을 그친 지수는 멀찍이 서서 식탁에 마주 앉은 엄마와 지연의 살가운 모습을 바라보았다.

그날 저녁, 엄마는 지수와 지연에게 새 이부자리를 하나씩 깔아주었다. 생전 처음 혼자 들어가 누운 이불 속은 서늘해서 잠이 오지 않았다. 아직 숨이 죽지 않은 새 이불이 지수의 몸에 닿을 때마다 선득선득 소름이 돋았다. 이불을 턱까지 올리고 몸을 한껏 웅크린 채 얼음처럼 차가워진 발을 종아리에 비비며 녹였다. 한참이 지나서야 이부자리는 지수의 체온으로 조금씩 따뜻해졌고 그제야 간신히 잠들 수 있었다.

거실에서는 아직도 지연과 엄마의 이야기 소리가 두런두런 들렸다. 간간이 '호주 날씨' '비행기표' 이런 단어들이 들리는 것 같았지만 솔직히 지수는 무슨 이야기인지 알고 싶지도 않고 그 사이에 끼어들고 싶지도 않았다. 지수는 아기의 숨소리를 들으며 스르르 잠에 빠져들었다.

-거의 다 왔어.

지연의 문자가 지수의 핸드폰에 떴다가 사라졌다. 전에 피자집이었던 그 카페에서 지연을 만나기로 한 날이다. 그곳은 이제 유리 통창으로 시원하게 꾸며진 세련된 카페가 되어 있었다. 지수가 먼저 도착해 창가에 자리를 잡고 앉았다. 멀리서 지연이 걸어오는 모습이 보였다. 밝은색 청바지에 핑크색 셔츠를 걸쳐 입은 지연은 집에서보다 훨씬 생기 있어 보였다.

"동네가 많이 변했다. 전에는 가게도 몇 개 없고 조용한 곳이었는데. 오래 기다렸어?"

"방금 왔어. 요즘은 사람들이 계속 새로운 곳을 찾아다니니까."

지연은 오랜만의 외출에 기분이 좋은지 눈을 반짝이며 카페의 이곳저곳을 둘러보았다. 지연은 이 집의 시그니처 메뉴라는 바닐라 크림 콜드브루를 디카페인으로 주문했고 지수는 언제나처럼 아이스아메리카노를 주문했다. 지연은 주문한 메뉴가 너무 달다고 투덜거리면서도 맛은 있다면서 모유 수유 때문에 먹는 것에서 자유롭지 못한 고통을 지수에게 늘어놓았다. 그리고 모유 수유가 끝나면 먹고 싶은 음식들을 하나씩 주워섬기고 있었다.

"근데 언니, 어떻게 하려고 엄마한테 호주로 나간다고 했어? 나가서 살려면 돈도 많이 들고 아기도 아직 어린데 어떻게 하려고? 진짜 호주로 갈 거야?"

"아직 확실치는 않아, 호주든 어디든 내가 알아서 할게."

"우리랑 같이 살려고 집에 온 거 아니야?"

"그랬는지도 모르지. 하지만 내가 떠나는 게 엄마에게 좋을 거야."

지연은 잔을 들어 커피를 한 모금 마시더니 창밖을 바라보며 말했다.

"엄마는 아직도 내가 뭔가가 될 수 있다고 생각하는 거 같아. 하지만 난 이제 아기 엄마잖아, 그리고 너한테 부담 주기도 싫어."

"부담은 무슨, 그리고 호주에 가려면 비자도 필요…"

"내가 알아서 한다고."

지연은 더 이상 대화를 이어가려고 하지 않았다. 어색한 침묵에 지수도 지연도 할 말을 잃고 앉아 있었다. 잠시 후, 지연은 아기가 젖 먹을 시간이 다 되었다면서 자리에서 일어났다. 지연이 마시다 만 커피잔의 옆면에는 하얀 크림이 커튼처럼 드리워져 말라붙어 있었다.

"언니가 정말 호주에 가는 걸까? 이제 언니 말이라면 하나도 믿을 수가 없어."

지수는 답답한 마음을 정우에게 털어놓았다.

"사정이 있으시겠지. 그런데 지수야, 너 요즘 너답지 않은 거 알아?"

"나답지 않다고?"

"널 처음 만났을 때 힘든 상황에서도 가족에게 최선을 다하는 네가 정말 멋졌어. 그런데 요즘은 엄마와 언니를 의심하고 항상 불만이 가득하잖아."

그동안 한 번도 지수에게 싫은 소리를 하지 않았던 정우였기에 지수는 당황스러웠다. 단지 지연의 미심쩍은 행동이 걱정스러웠던 것뿐인데, 정우는 지연을 믿지 못하는 지수를 나무라는 것 같았다.

"의심과 불만이 아니라 관심과 걱정이야. 네가 나보다 우리 가족에 대해서 더 잘 안다고 생각하는 거야? 너는 어때? 너희 가족들은 아직도 나에 대해 모르시잖아."

지수는 금방이라도 눈물이 터질 것 같아서 그 자리를 뛰쳐나왔다. 언제나 다정하게 지수를 위로했던 정우가 처음으로 내뱉은 냉정한 말이 이렇게나 아프게 가슴에 박힐 줄 몰랐다. 집으로 걸어가는 지수의 발걸음은 무거웠고, 지수의 뺨에 흐르던 시린 눈물은 차가운 밤바람에 말라가고 있었다.

그날 저녁, 엄마는 지수와 지연을 거실로 불러 앉히더니 통장 한 개를 꺼내 놓았다.

"이불 가게 처분했다. 이제 다시 장사할 일도 없을 것 같고. 지연이 외국 나간다는데 어떻게 빈손으로 가겠어. 얼마 안 되지만 필요한데 써라. 지수한테는 미안하지만… 어쩌겠니? 언니가 지금 돈이 급하니까. 그래도 지수 결혼시킬 돈은 조금 남겨 놨다."

엄마는 여기까지 말하고 방으로 들어가 버렸다. 지수는 갑작스러운 엄마의 통보에 어리둥절했다. 그리고 당연하다는 듯 통장을 받아 챙기는 지연을 보며 배신감을 느꼈다. 알아서 한다는 게 이거였어? 도대체 엄마에게 무슨 말을 한 거야? 엄마가 장사를 접으면서도 놓지 못하던 가게, 어쩌면 오롯이 자신만의 것이던 단 하나, 그걸 지연을 위해 내놓은 것이다. 지연이 그 무게를 조금이라도 알기는 할까?

"이게 언니 계획이야? 알아서 한다는 게 이거야?"

지수는 속에서 올라오는 화를 억누르며 낮은 목소리로 말했다.

"뭘? 내가 해달라고 한 거 아니야!"

"언니가 자꾸만 호주에 간다고 하니까 그러는 거 아냐? 진짜 가기는 하는 거야? 3년 동안 우리가 얼마나 기다렸는데 또 이렇게 가버린다고? 그리고 그 가게가 어떤 건지 언니가 알기나 해? 엄마가 평생 일해서 그거 하나 남았는데, 그냥 여기서 같이 살면 되잖아!"

"네가 뭘 안다고 그래?"

"내가 뭘 모르는데? 솔직하게 말을 해줘야 알지!"

지수의 목소리가 점점 높아지자, 지연은 당황한 듯했지만 이내 가소롭다는 듯 코웃음을 치며 쏘아보았다. 지수도 지지 않고 지연을 노려보았다. 그동안 못 본 척, 못 들은 척, 모르는 척했던 건 그래도 언니를 배려해서였어. 하지만 언니! 착각하지 마! 나도 이제 오줌인지 물인지 정도는 구분할 수 있어. 언니, 네가 아무리 물이라고 우겨도 그건 오줌이라고! 내가 오늘 아주 똑똑히 알려주겠어!

바로 그때, 끊어질 듯 팽팽하던 지수와 지연 사이의 긴장을 끊어버린 것은 아기의 날카로운 울음소리였다. 잠에서 깬 아기를 안고 일어나려던 엄마가 무릎을 다 펴지 못한 채 균형을 잃고 넘어지면서 아기를 바닥에 떨어트리고 만 것이다.

지수와 지연은 방으로 뛰어 들어갔다. 쓰러져 있는 엄마를 살피던 지수는 등 뒤에서 들려오는 앙칼진 목소리에 깜짝 놀라 돌아보았다.

"야아아! 정지수! 너 때문이잖아아악!"

지연이 숨이 넘어갈 듯 울고 있는 아기를 안고 서서 온몸의 힘을 쥐어짜듯이 빽빽 소리를 지르고 있었다. 그 사나운 모습에 지수는 말문이 턱 막혀서 도대체 뭐가 나 때문이라는 건지 따져 물을 엄두조차 나지 않았다. 지수는 패배를 인정할 수밖에 없었다. 우는 아기를 안고 있는 지연은 이길 수 있는 상대가 아니었다.

아기가 병원에서 퇴원한 바로 다음 날 아침, 정우가 집 앞으로 와서 공항인지 어디인지 확인할 수 없는 곳으로 지연과 아기를 태우고 갔다. 그렇게 지연과 아기는 집을 떠났다. 지연이 집으로 돌아온 지 한 달 만이었다.

지수는 지연과 아기가 쓰던 방에 들어가 봤다. 깔끔하게 정돈된 방에서는 아직도 아기의 젖 냄새, 살냄새가 나는 것 같았다. 지수는 한쪽에 잘 개켜져 있던 아기의 작은 요를 꺼내어 펴고 그 위에 웅크리고 누웠다.

아기의 얼굴을 마주 보고 누워 자신과 닮은 곳을 찾아보던 기억이 떠올랐다. 지수와 눈을 맞추던 아기의 신비롭고 커다란 회색 눈동자가 떠오르자, 지수의 가슴속에 작은 소용돌이가 일기 시작했다. 제대로 된 이름도 없었던 아기, 지연은 아기를 토닥이라고 불렀다. 아기의 태동이 있을 때마다 지연의 마음을 토닥여주는 것 같았다고 했다. 엄마의 뱃속에서부터 엄마를 위로하던 아기, 10개월 동안 아기의 토닥임이 유일한 위로였을 지연, 앞으로 지연이 아기와 함께 헤쳐나가야 할 시간을 생각하니 지수의 가슴이 먹먹해졌다. 지연은 지수에게 예쁜 아기 이름을 지어달라고 했었다.

　작은 소용돌이는 점점 커져 지수의 온몸을 집어삼켰다. 그리고 그 중심, 가슴 한가운데가 쓰리게 아팠다. 지켜주고 싶고 지켜줘야 하는 존재를 지키지 못한 아픔이 수없이 돌아가는 소용돌이의 중심이 되어 가슴 한가운데를 파고들었다. 지수는 벌떡 일어나 핸드폰을 꺼냈다.

　-언니, 언니와 아기에게는 내가 있다는 것을 잊지 마. 아기 이름은 시몬이야, 정시몬. 한자로는 심온. 마음이 따뜻한 아이라는 뜻이야.

　잠시 후 숫자 1이 사라졌다.

　지연과 아기가 떠난 집은 생기를 잃어버렸다. 엄마는 지연이 떠난 후 며칠 동안 거실에도 나오지 않고 방에만 틀어박혀 있었다. 퇴근하기 한 시간 전에 보내던 문자도 보내지 않았다. 지수가 한 번씩 방문을 열어보면 엄마는 커다란 이불 더미 속에 파묻혀 있었다. 지연과 아기가 지금 같이 있다면 엄마는 행복했을까?

지수는 지연이 떠나고 며칠이 지나서야 정우를 다시 만났다.
"언니는 어디로 갔어?"
"내가 아는 모자보호센터에 모셔다드렸어."
정우는 살짝 놀란 것 같았지만 곧 체념한 듯 담담하게 말했다.
"왜 나한테 미리 말하지 않았어? 다녀와서라도 말했어야지."
"너랑 어머니한테 말하지 말라고 신신당부하셔서 어쩔 수 없었어."
"그래도 나한테는 말했어야지. 가까운 사람에게 진실을 말하기 어렵다더니… 또 나에게 말하지 못하는 진실이 뭐야? 우리 사이에 진실이라는 게 있기는 해?"
정우의 눈빛이 순간 날카로워지더니 이내 다시 지수를 달래 보려고 했다. 하지만 지수는 이것으로 끝이라는 것을 알았다. 그동안 정우에게 받아왔던 위로가 위로 그 이상이 되지 못한 것이 정우 탓만은 아니었다. 다가올 어둠을 감당할 자신이 없어서 흔들리는 불꽃을 차마 포기하지 못한 지수 탓이기도 했다. 더 이상 이불 속에 웅크린 진실을 못 본 체할 수는 없다.
며칠 후, 정우는 지수에게 문자로 주소 하나를 보내주었다. 정우가 아는 분을 통해 소개해 준 곳이라고 했다. 지금쯤은 그곳에 지연과 아기는 없을 거라고 했다. 자리를 잡을 때까지 며칠만 있기로 했다는 것이다. 그리고 그 문자가 지수와 정우의 마지막 문자가 되었다. 짧지 않은 시간 동안 가장 가까운 사이였던 지수와 정우는 그렇게 헤어지자는 말 한마디, 서로에 대한 인사 한마디 없이 이별했다.

겨울이 지나고 봄이 왔다. 엄마는 시장에 작은 가게를 얻어 양말 가게를 차렸다. 말이 양말 가게지 양말뿐만 아니라 손수건, 모자 같은 작은 소품들을 같이 파는 가게였다. 엄마는 하루 종일 가게에 앉아서 뜨개질로 작은 수세미며 냄비 받침 같은 것을 만들어냈다. 지수가 사무실 직원들에게 엄마가 만든 것을 선물하면 다들 무척 마음에 들어 했다.

가끔 이불 가게를 하던 엄마를 알아보는 손님이 예쁘고 공부 잘하던 큰딸은 어떻게 됐는지 물어본다. 그러면 엄마는 결혼해서 외국에서 잘살고 있다고 대답한다. 손님이 큰딸이 많이 보고 싶겠다고 하면 엄마는 거기서 잘살고 있으니 괜찮다고 한다. 지수는 그런 엄마를 보면서 어쩌면 엄마에 대해 더 잘 알고 있는 지연의 선택이 옳았는지도 모른다는 생각이 들었다.

엄마는 더 이상 지수에게 퇴근 전 문자를 보내지 않는다. 대신 지수가 퇴근할 때 엄마의 가게로 가서 함께 가게를 정리하고 저녁 거리를 사거나 외식을 한 후 같이 집에 들어온다. 엄마는 가끔 지연과 아기가 잘 지내는지 모르겠다며 한숨을 쉰다. 그러면 지수는 계속해서 같은 말을 반복할 수밖에 없었다. 언니는 잘살고 있을 테니 걱정하지 말라고, 언니가 어떤 사람이냐? 똑똑하고 야무진 사람 아니냐, 어디서든 분명히 잘살고 있을 거라고. 그러면 엄마는 고개를 끄덕이며 그건 그렇지, 라고 했다.

지수가 가끔 들어가 보는 지연과 아기가 쓰던 방은 언제나 먼지 한 톨 없이 깔끔했다. 아마도 엄마의 손길이 한 번도 멈추지 않았기 때문일 거다. 봄볕이 따뜻한 날, 지수는 자기 이불과 아기 이불을 모두 꺼내서 빨래 틀에 걸어두었다가 탈탈 털어서 거둬들였다.

지수의 집 식탁 한쪽에는 아직도 분유통과 우유병이 그대로 올려져 있고 보송보송하게 숨이 살아있는 아기 요와 이불이 이불장 안에 고이 들어가 있다.

지금이라, 할 수 있는 이야기

펴낸날 | 2024년 12월 27일
지은이 | 김재희 도이진 백종혁 서보현 신시언 채현재 현선
펴낸이 | 임우근
펴낸곳 | 글로서기
출판등록 | 2023년 5월 17일(제2023-000166호)
주소 | 서울시 강남구 논현로 97길 19-1, 1층 (역삼동)
홈페이지 | geulroseogi.co.kr

© 2024. 김재희 도이진 백종혁 서보현 신시언 채현재 현선

ISBN 979-11-94157-10-6

이 책은 글로서기의 책쓰기 프로젝트를 통해 만들어졌습니다.
이 책의 판권은 지은이와 글로서기에 있습니다.
이 책 내용의 전부 또는 일부를 재사용하려면 반드시 양측의 서면 동의를 받아야 합니다.